J.-F. Mallet

SIMPLISSIME

LA CUISINE
EN FAMILLE
LA + FACILE
DU MONDE

AVEC

Disney

hachette
CUISINE

Cet ouvrage est le fruit de moments passés en cuisine avec mes deux filles, Jeanne et Paula. Depuis qu'elles sont petites, elles me donnent des idées simplissimes et, avec ce livre, elles se sont amusées à inventer des recettes à l'image des héros de Disney qu'elles connaissent bien mieux que moi.

Nous cuisinons régulièrement en famille, c'est une façon ludique de leur faire manger de tout, même les épinards, les brocolis et les navets...

En plus de ces merveilleux instants de partage, c'est aussi une manière pour moi de les éveiller au goût des vrais produits, de leur faire découvrir des ingrédients mais surtout de leur préparer des plats équilibrés sans trop de sucres et sans trop de matières grasses. J'évite le plus possible les produits industriels bourrés de sucres cachés, de gras, de colorants, de conservateurs et autre substances douteuses dont on ne connaît pas vraiment les répercussions sur la santé.

Ce n'est pas pour autant qu'elles ne peuvent pas de temps en temps se régaler avec un gratin au fromage ou avec un bon burger maison. J'essaie justement de chasser les idées reçues car un burger maison avec des légumes grillés et de la viande est un plat équilibré. Pour les desserts, je n'abuse ni du sucre, ni du beurre, mais nous savons nous faire plaisir.

Je vous laisse découvrir 100 recettes toutes aux couleurs des personnages préférés des enfants qui restent évidemment simplissimes à réaliser avec des ingrédients variés mais que l'on trouve très facilement.

Je vous souhaite de très beaux moments de partage aussi bien en cuisine qu'à table.

La recherche d'un mode de vie équilibré est l'une des principales préoccupations des familles. Chez Disney France, notre volonté est de les accompagner dans cette quête d'une bonne hygiène de vie en devenant l'allié des parents pour le bien-être et l'épanouissement des enfants.

Parce que divertir est notre cœur de métier, nous souhaitons réenchanter le moment des repas en faisant ainsi rimer équilibre avec plaisir, les bases d'un mode de vie équilibré.

En collaborant avec des experts dans leur domaine, le programme Disney Tous en Forme donne lieu à des produits ou services innovants, ludiques et inspirants.

Ce *Simplissime* Disney s'inscrit totalement dans cet engagement: permettre aux enfants et à leurs parents de bien manger en privilégiant le plaisir de cuisiner en famille des recettes faciles, variées, et équilibrées.

En associant les personnages Disney à ce livre nous y apportons une touche ludique, meilleur gage pour intéresser les enfants et prolonger le lien émotionnel qu'ils entretiennent avec leurs personnages préférés.

Nous espérons que les recettes sélectionnées vous plairont, et que vous prendrez beaucoup de plaisir à les préparer et les déguster.

Bon appétit !

Jean-François Camilleri,
Président de The Walt Disney Company France, Benelux, Maghreb et Afrique Francophone

MODE D'EMPLOI

Pour ce livre, je pars du principe que vous avez chez vous :

- L'eau courante
- Une cuisinière
- Un réfrigérateur
- Un blender
- Une poêle

- Une cocotte en fonte
- Un couteau (bien aiguisé)
- Une paire de ciseaux
- Du sel et du poivre
- De l'huile

(Si ce n'est pas le cas c'est peut-être le moment d'investir !)

Quels ingrédients sont indispensables ?

• **Les légumes et les fruits :** frais et de saison de préférence, mais n'hésitez pas à vous rabattre sur la version surgelée brute. Je vous conseille de les acheter bio, ce qui est quand même mieux pour la santé de vos enfants, surtout lorsque vous utilisez les zestes des agrumes, la peau des fruits et des légumes. N'hésitez pas à varier les variétés de légumes.

• **Les herbes :** les herbes fraîches n'ont pas leur égal, ce sont elles qu'il faut privilégier ! En cas de grosse panne, vous pouvez toujours utiliser la version surgelée ou séchée (mais c'est moins bon, sauf pour l'origan).

• **Les huiles :** je privilégie l'huile d'olive – toujours vierge extra, c'est la meilleure pour la santé. Pour varier de temps en temps, l'huile de sésame et l'huile de noix peuvent, d'un filet, relever un plat et changer l'assaisonnement d'une salade.

• **Les épices :** paprika, curry, cumin et curcuma sont à l'honneur dans mes plats. Les épices permettent de faire découvrir de nouvelles saveurs et de donner une petite touche exotique mais surtout de saler peu. Dans toutes les recettes, il est indiqué de saler et de poivrer mais je recommande de saler avec modération, car l'abus de sel est mauvais pour la santé.

• **Les conserves :** les boîtes de thon et de sardines à l'huile, le lait de coco et l'incontournable coulis ou concassé de tomates. Et c'est tout...

• **Les condiments :** j'ai toujours de la moutarde, du pesto et du vinaigre balsamique dans mon placard ; en un tour de main, ça vous sauve un dîner. Pour la sauce soja : choisissez-la de préférence japonaise, type Kikkoman®, et celle avec le bouchon vert – elle est moins salée.

Quels gestes adopter?

- **Cuire des pâtes:** faites-les cuire dans une grande casserole dans une grande quantité d'eau bouillante salée. Attention au temps de cuisson si vous les aimez *al dente*.
- **Mariner (faire):** mettez à tremper un ingrédient dans une préparation aromatique pour la parfumer ou l'attendrir.
- **Monter les blancs d'œufs en neige:** ajoutez une pincée de sel aux blancs d'œufs et utilisez un fouet électrique en faisant monter progressivement la puissance. Fouettez les blancs toujours dans le même sens pour ne pas les casser.
- **Zester un agrume:** Il existe 2 façons de zester un agrume. Pour les débutants et pour obtenir un zeste très fin, utilisez une râpe à fromage sur la peau de l'agrume, en passant une seule fois par zone sans atteindre la peau blanche. Pour les pros et pour obtenir des zestes qui ressemblent à des vermicelles, utilisez un zesteur. Mais l'idéal est d'investir dans une râpe «microplane», qui est un zesteur de luxe; on en trouve dans toutes les bonnes boutiques d'ustensiles de cuisine.

Quels ustensiles choisir?

- **Le mixeur plongeant:** appelé aussi mixeur girafe, il s'utilise pour mixer des préparations liquides (soupe, smoothies, milk-shake...). Très pratique, peu cher, peu encombrant; en plus, avec lui, peu de vaisselle car il s'utilise directement dans la préparation à mixer sans avoir à la transvaser dans un bol.
- **Le blender:** utilisé pour réaliser les jus.

Quel thermostat?

90 °C : th. 3	150 °C : th. 5	210 °C : th. 7	270 °C : th. 9
120 °C : th. 4	180 °C : th. 6	240 °C : th. 8	300 °C : th. 10

**C'est tout. Pour le reste,
il n'y a plus qu'à suivre la recette!**

BRIOCHE COCKTAIL POUR LE BAL

Brioche parisienne
x 1 (grosse)

Fromage frais
8 portions

Concombre
x ½

Thon au naturel
1 boîte (130 g égouttés)

Menthe
1 botte

 : 6

Préparation : 15 min

• Mélangez le **thon** égoutté avec le **fromage frais**. Découpez la **brioche** en 6 tranches dans l'épaisseur. Lavez et coupez le **concombre** en rondelles fines. Lavez et effeuillez la **menthe**.

• Tartinez chaque tranche de **brioche** avec le mélange **thon-fromage frais**, ajoutez les rondelles de **concombre** et les feuilles de **menthe** et reconstituez la **brioche**.

RILLETTES EN BOÎTE DE SARDINES

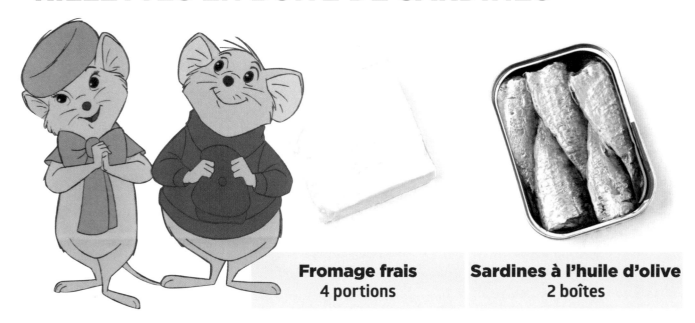

Fromage frais
4 portions

Sardines à l'huile d'olive
2 boîtes

Citrons verts
x 2

Sel, poivre

: 6

Préparation : 10 min

• Égouttez les **sardines** et écrasez-les à la fourchette avec le **fromage frais** et le jus et les zestes des **citrons verts**. Salez, poivrez.
• Dressez les rillettes dans la boîte des sardines et dégustez.

10

BLINIS COCKTAIL

Petits-suisses
x 2

Ciboulette
1 botte (grosse ou 2 petites)

Saumon fumé
2 tranches (petites)

Blinis
x 8

 **Sel, poivre**

Préparation : 10 min

• Taillez le **saumon fumé** en fines lanières

• Mélangez les **petits-suisses** avec
la **ciboulette** coupée aux ciseaux (réservez
quelques brins pour la déco), salez et poivrez.

• Au moment de servir, répartissez le mélange
à base **de petits-suisses** et le **saumon**
en lanières sur les **blinis** puis dégustez.

CAROTTES À L'ORANGE DE JUDY HOPPS

Carottes fanes
1 botte (petites)

Yaourts à la grecque
x 2

Orange
x 1

Coriandre
1 botte

 **Sel, poivre**

Préparation : 5 min

- Épluchez et lavez les **carottes**. Coupez les plus grosses en 2.
- Mélangez les **yaourts** avec les zestes et le jus de l'**orange** et la **coriandre** coupée aux ciseaux. Salez et poivrez.
- Dégustez les **carottes** avec la sauce.

CROUSTI CHIPS DE MULAN

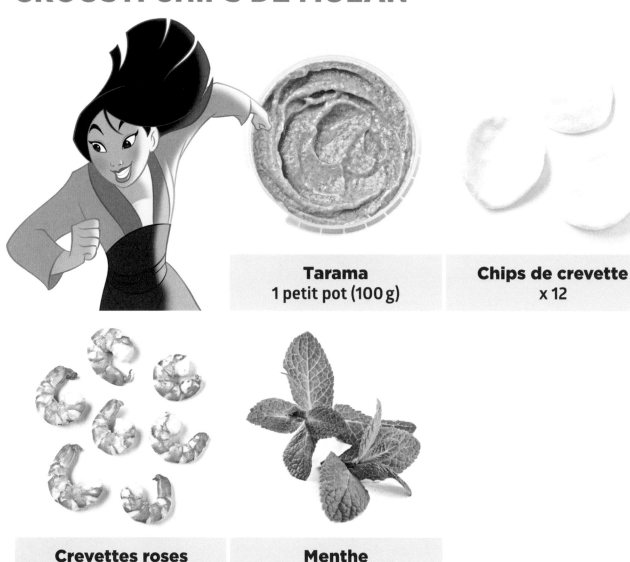

Tarama
1 petit pot (100 g)

Chips de crevette
x 12

Crevettes roses
x 6 (cuites et décortiquées)

Menthe
12 feuilles

Préparation : 5 min

• Juste avant de déguster (pour éviter que les chips ramollissent), déposez un petit peu de **tarama**, 1 feuille de **menthe** et ½ **crevette** sur chaque **chips**.

BOUQUET DE ROSES DE BELLE

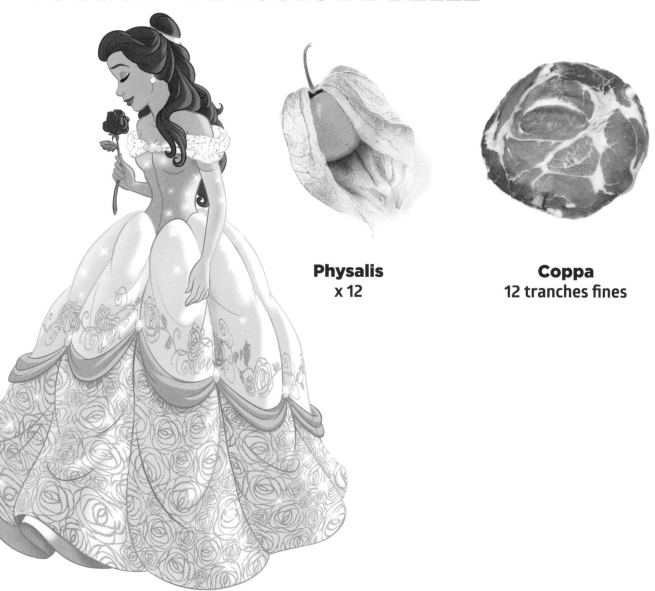

Physalis
x 12

Coppa
12 tranches fines

Préparation : 5 min

- Ouvrez délicatement les **physalis**.
- Enveloppez chaque fruit d'1 tranche de **coppa**.
- Dressez dans un plat et dégustez.

LES FRIANDISES DE PONGO

Pâte à pizza
x 1 (rectangulaire)

Bœuf haché
200 g (5 % MG)

Moutarde
2 cuil. à soupe

Parmesan
4 cuil. à soupe

 Sel, poivre

Préparation : 10 min
Congélation : 30 min
Cuisson : 15 min

- Préchauffez le four à 200°C.
- Mélangez le **bœuf haché**, la **moutarde** et la moitié du **parmesan**. Salez, poivrez.
- Répartissez la farce sur la **pâte**. Roulez les bords vers le centre et placez-la 30 min au congélateur.
- Découpez la **pâte** en tranches. Placez-les sur une plaque couverte de papier cuisson. Saupoudrez le reste du **parmesan** et enfournez 15 min.

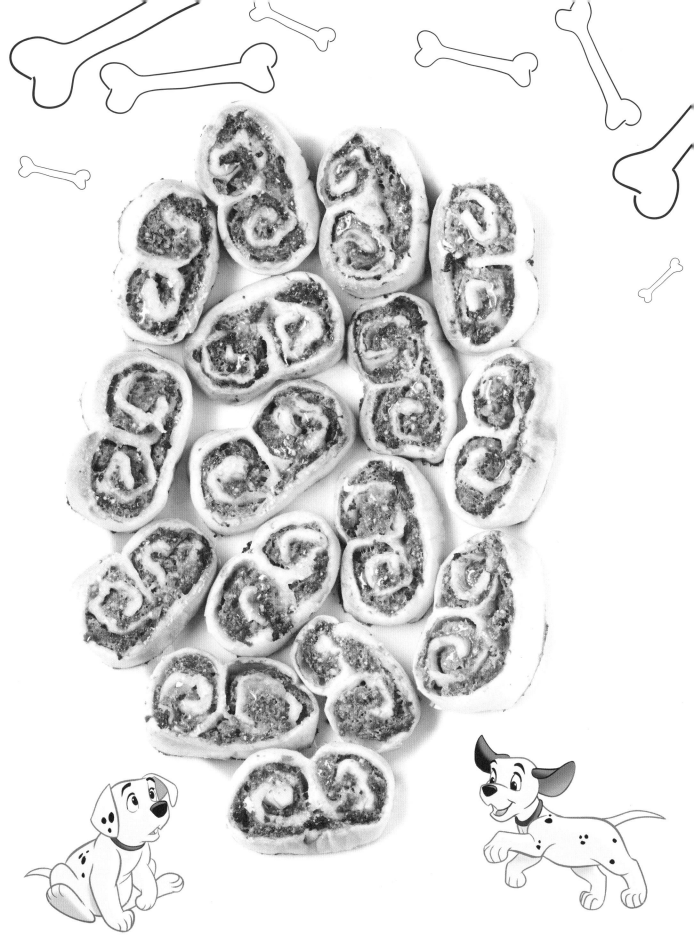

HUÎTRES DU PAYS DES MERVEILLES

Huîtres
x 24

Kiwi
x 1

Œufs de saumon
6 cuil. à café

Radis roses
x 8

Préparation : 10 min
Cuisson : 5 min

- Enfournez les **huîtres** 5 min pour les ouvrir plus facilement et laissez-les refroidir.
- Épluchez le **kiwi** et lavez les **radis**. Taillez les **radis** et le **kiwi** en tout petits dés et répartissez-les sur les **huîtres**.
- Ajoutez les **œufs de saumon** et dégustez bien frais.

ROULEAUX DE PRINTEMPS DE MULAN

Galettes de riz
x 8 (grandes)

Concombre
x ½

Jambon blanc
4 tranches (sans couenne)

Menthe
2 bottes

Crevettes roses
x 16 (cuites et décortiquées)

Pour 8 rouleaux

🕐

Préparation : 15 min

• Humidifiez les **galettes** sous un filet d'eau froide. Répartissez les **crevettes** fendues en 2, les tranches de **jambon** coupées en 2, le **concombre** coupé en bâtonnets et la **menthe** effeuillée.

• Rabattez les bords, roulez en serrant bien et dégustez.

LE GUACAMOLE DE MAMÀ ELENA

Avocats
x 2

Saumon fumé
4 tranches (petites)

Citrons verts
x 2

Cumin en poudre
1 cuil. à café

Coriandre
1 botte

Sel, poivre

🕐

Préparation : 5 min

• Épluchez les **avocats**, ôtez les noyaux et mixez la chair avec le jus des **citrons verts** et le **cumin**. Salez, poivrez.

• Disposez le **guacamole** dans un plat, ajoutez le **saumon fumé** coupé en morceaux.

• Parsemez de feuilles de **coriandre** et dégustez.

SALADE HAWAÏENNE

Ananas
x 1

Riz
80 g

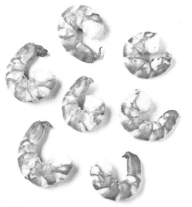

Crevettes roses
100 g (cuites et décortiquées)

Huile d'olive
2 cuil. à soupe

Jambon blanc
2 tranches (sans couennes)

 **Sel, poivre**

🐭🐭🐭🐭

🕐

Préparation : 10 min
Cuisson : 10 min

• Faites cuire le **riz** à l'eau bouillante salée et laissez-le refroidir.

• Coupez l'**ananas** en 2, récupérez la chair et taillez-la en petits morceaux. Découpez le **jambon** et mélangez-le avec l'**ananas**, le **riz**, les **crevettes** et l'**huile d'olive**. Salez, poivrez.

• Placez la salade dans les coques d'**ananas** et dégustez.

28

POISSON À LA TROPICALE

Pavés de saumon
x 4 (sans la peau)

Lait de coco
25 cl

Citrons verts
x 4

Coriandre
2 bottes

Concombre
x ¼

 **Sel, poivre**

🕐

Préparation : 5 min
Réfrigération : 30 min

• Découpez les **pavés de saumon** en cubes et mélangez-les avec le jus des **citrons verts**, le **concombre** coupé en rondelles, le **lait de coco** et la **coriandre** coupée aux ciseaux.
• Salez, poivrez. Laissez mariner 30 min au réfrigérateur et dégustez.

SALADE DE MICKEY ET SES AMIS

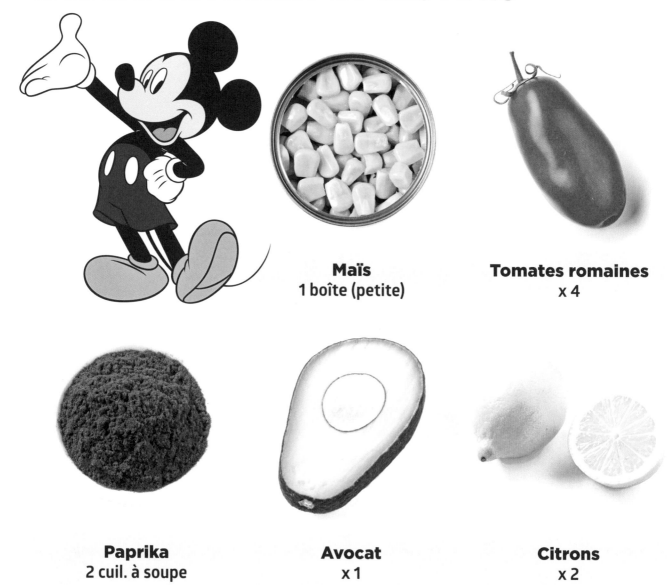

Maïs
1 boîte (petite)

Tomates romaines
x 4

Paprika
2 cuil. à soupe

Avocat
x 1

Citrons
x 2

 **Sel, poivre**

 **3 cuil. à soupe d'huile d'olive**

🐭🐭🐭🐭🐭

🕐
Préparation : 10 min

• Coupez les **tomates** en 2 et évidez-les.

• Mélangez l'**avocat** coupé en petits cubes avec le **maïs** et garnissez-en les **tomates**.

• Mélangez le **paprika** avec le jus des **citrons** et 3 cuil. d'**huile d'olive**. Salez, poivrez et versez sur les **tomates**. Dégustez.

LA RATATOUILLE DE L'ÉTÉ

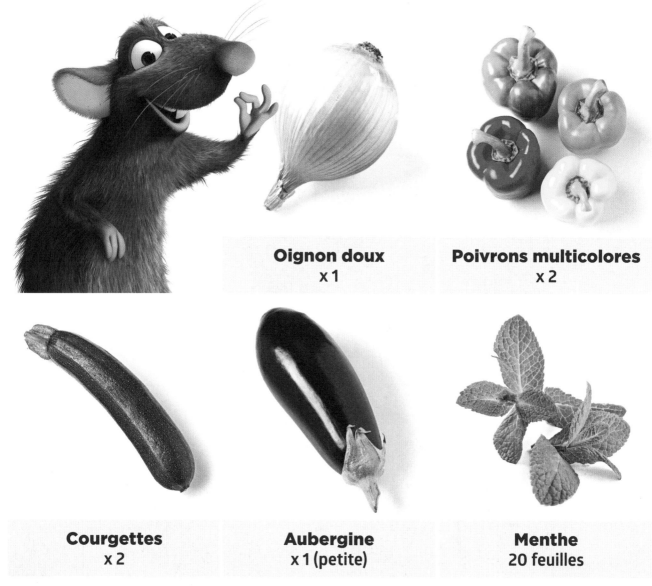

Oignon doux
x 1

Poivrons multicolores
x 2

Courgettes
x 2

Aubergine
x 1 (petite)

Menthe
20 feuilles

 **Sel, poivre**

6 cuil. à soupe d'huile d'olive

Préparation : 25 min
Cuisson : 45 min

• Coupez l'**oignon**, les **poivrons**, les **courgettes** et l'**aubergine** en petits dés.

• Faites chauffer l'**huile**, faites revenir les légumes sans coloration. Salez, poivrez et faites cuire 45 min à feu doux.

• Laissez refroidir, ajoutez la **menthe** ciselée aux ciseaux et dégustez.

CEVICHE DE L'EMPEREUR

Concombre
x 1

Filets de cabillaud
x 2

Citrons verts
x 4

Lait de coco
20 cl

Coriandre
2 cuil. à soupe

 **Sel, poivre**

2 cuil. à soupe d'huile d'olive

Préparation : 5 min
Marinade : 10 min

• Fendez le **concombre** en 2 et évidez la chair. Découpez 8 barquettes.

• Mélangez la chair du **concombre** et le **cabillaud** coupés en morceaux avec le **lait de coco**, le jus des **citrons verts**, l'**huile d'olive** et la **coriandre** coupée aux ciseaux. Laissez mariner 10 min et dressez dans les barquettes de **concombre**. Salez, poivrez et dégustez.

LA SALADE DE NANI

Salades romaines
x 2

Mélange de fruits de mer
400 g (surgelés)

Myrtilles
1 barquette

Huile d'olive
6 cuil. à soupe

Sauce soja
4 cuil. à soupe

 Poivre

🕐
Préparation : 10 min
Cuisson : 5 min

• Coupez les **salades** en 2, retirez une partie de l'intérieur et hachez-la.

• Faites revenir les **fruits de mer** 5 min dans une poêle avec l'**huile d'olive** et la **sauce soja**.

• Laissez refroidir puis mélangez-les avec les **myrtilles** et la **salade** hachée.

• Garnissez les **romaines**, nappez avec le jus de cuisson, poivrez et dégustez.

LA SALADE DE PACHA

Quinoa rouge
100 g

Fruits de la Passion
x 4

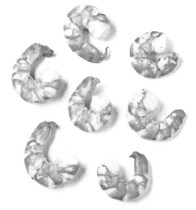

Crevettes roses
x 16 (cuites et décortiquées)

Coriandre
1 botte

  Sel, poivre

 1 filet d'huile d'olive

Préparation : 5 min
Cuisson : 10 min
Repos : 10 min

• Faites cuire le **quinoa** 10 min à couvert dans 20 cl d'eau. Stoppez le feu, laissez gonfler 10 min.

• Coupez les **fruits de la Passion** en 2. Récupérez la pulpe et mélangez-la avec le **quinoa** refroidi, la **coriandre** hachée et les **crevettes** coupées en morceaux. Salez, poivrez.

• Remplissez les coques des **fruits de la Passion** et dégustez avec 1 filet d'**huile d'olive**.

DÎNER LÉGER DE DUCHESSE

Thon au naturel
2 boîtes (260 g au total)

Roquette
150 g

Œufs
x 5

 Sel, poivre

 **10 g de beurre
(pour le moule)**

**Préparation : 5 min
Cuisson : 30 min**

- Préchauffez le four à 180°C.
- Égouttez le **thon** et mélangez-le avec les **œufs** battus et 100 g de **roquette** découpée finement aux ciseaux, salez, poivrez.
- Versez dans un moule à cake beurré et enfournez 30 min.
- Dégustez froid en tranches épaisses avec le reste de **roquette**.

LA SALADE PRÉFÉRÉE DE DUMBO

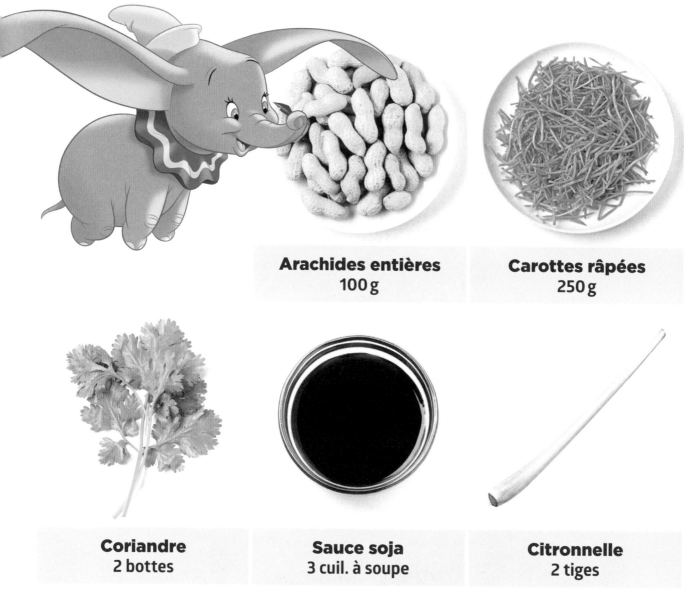

Arachides entières
100 g

Carottes râpées
250 g

Coriandre
2 bottes

Sauce soja
3 cuil. à soupe

Citronnelle
2 tiges

 **Sel, poivre**

2 cuil. à soupe d'huile d'arachide

⏲ **Préparation : 10 min**

• Décortiquez les **arachides**. Émincez la **citronnelle**. Lavez et découpez la **coriandre** grossièrement aux ciseaux.

• Au moment de passer à table, mélangez tous les ingrédients dans un saladier, salez, poivrez et dégustez.

44

SALADE D'AUTOMNE

Feuille de chêne
x 1

Noix
25 cerneaux

Raisin noir
2 grappes

Huile de noix
2 cuil. à soupe

Vinaigre balsamique
2 cuil. à soupe

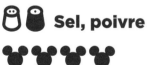 **Sel, poivre**

Préparation : 5 min

• Lavez et coupez les grains de **raisin** en 2. Concassez grossièrement les cerneaux de **noix**. Lavez et effeuillez la **feuille de chêne**.

• Au moment de servir, mélangez tous les ingrédients dans un saladier, salez, poivrez et dégustez.

GALETTES DE MAÏS

Salade romaine
x 1

Maïs
1 boîte (moyenne)

Farine
2 cuil. à soupe

Œufs
x 2

Parmesan
4 cuil. à soupe

 **Sel, poivre**

4 cuil. à soupe d'huile neutre

Préparation : 15 min
Cuisson : 10 min

• Mixez le **maïs** avec les **œufs** et la **farine** dans un robot. Salez, poivrez. Faites chauffer 3 cuil. à soupe d'**huile** dans une grande poêle, déposez des cuillères de pâte afin de former des galettes. Laissez cuire 1 min de chaque côté.

• Découpez la **romaine** et mélangez-la avec le reste d'**huile** et le **parmesan**. Salez, poivrez, ajoutez les galettes tièdes et dégustez.

NEIGE DE CHOU-FLEUR

Chou-fleur
x ½

Citron
x 1 (bio)

Crabe des neiges
2 pinces (ou 200 g de chair)

Huile d'olive
4 cuil. à soupe

Myrtilles
1 barquette (125 g)

 Sel

Préparation : 10 min
Cuisson : 10 min

- Faites cuire le **chou-fleur** coupé en morceaux 10 min à l'eau bouillante salée. Laissez-le refroidir et râpez-le avec une râpe à légumes.

- Mélangez le **chou-fleur** avec le jus et les zestes du **citron** et l'**huile d'olive**. Salez.

- Dressez le **chou-fleur** dans un plat, ajoutez le **crabe** et les **myrtilles** puis dégustez.

LA SALADE DE MUSHU

Blancs de poulet
x 2

Huile de sésame
4 cuil. à soupe

Graines de sésame
4 cuil. à soupe

Coriandre
1 botte

Pousses de soja
200 g

 **Sel, poivre**

Préparation : 5 min
Cuisson : 5 min

• Disposez la **coriandre** coupée grossièrement aux ciseaux et les **pousses de soja** dans un plat.

• Faites revenir à feu vif les **blancs de poulet** coupés en morceaux avec l'**huile** et les **graines de sésame**. Salez, poivrez.

• Répartissez-les sur le plat avec le jus de cuisson et dégustez immédiatement.

LES TOMATES DE L'OLYMPE

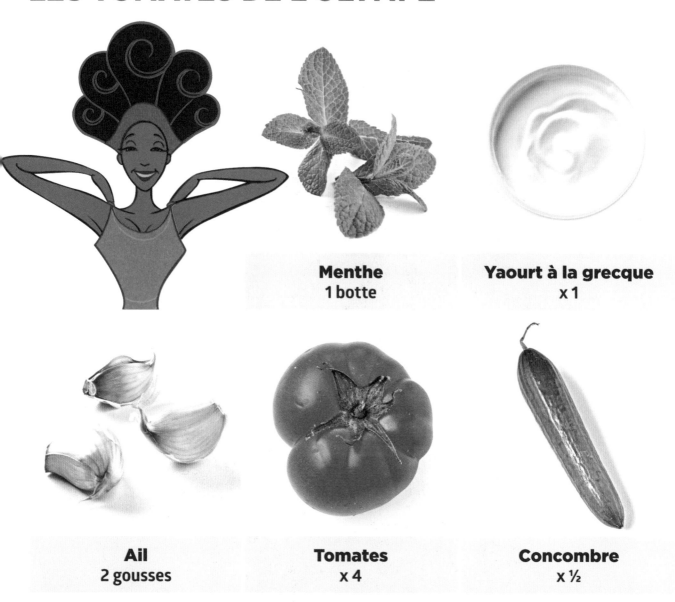

Menthe
1 botte

Yaourt à la grecque
x 1

Ail
2 gousses

Tomates
x 4

Concombre
x ½

 Sel, poivre

1 filet d'huile d'olive

Préparation : 10 min

• Hachez la **menthe** en prenant soin de mettre quelques feuilles de côté. Épluchez l'**ail**. Râpez le **concombre** et l'**ail** avec une râpe à légumes. Mélangez-les avec la **menthe** et le **yaourt**.

• Coupez les **tomates** en 2, évidez-les et garnissez-les de tzatziki. Salez, poivrez.

• Ajoutez les feuilles de **menthe** restantes et dégustez avec 1 filet d'**huile d'olive**.

54

LA SOUPE DE MONSIEUR MOUCHE

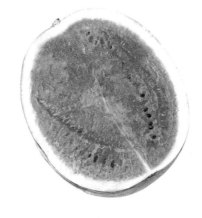

Pastèque
x ½

Courgettes
x 2

Menthe
1 botte

 Sel, poivre

 **1 filet d'huile d'olive**

🕐
Préparation : 10 min
Cuisson : 20 min

• Faites cuire les **courgettes** coupées en morceaux 20 min à feu doux avec 40 cl d'eau. Laissez refroidir. Mixez la soupe avec les ¾ de la **menthe** avec un robot plongeant. Salez, poivrez. Évidez la **pastèque** et taillez la chair en morceaux. Versez la soupe dans la **pastèque**, ajoutez la chair, le reste de la **menthe**. Dégustez avec 1 filet d'**huile d'olive**.

GASPACHO VITAMINÉ

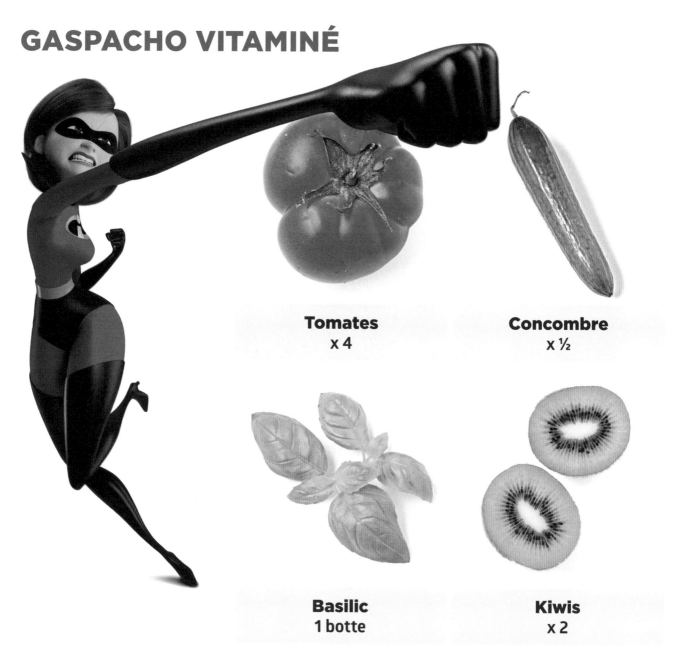

Tomates
x 4

Concombre
x ½

Basilic
1 botte

Kiwis
x 2

 Sel, poivre

🐭🐭🐭🐭🐭

Préparation : 5 min

• Taillez le **concombre**, les **tomates** et les **kiwis** (en ayant pris soin de réserver 4 tranches) en petits morceaux.

• Mettez l'ensemble dans un blender, ajoutez les feuilles de **basilic** et 1 verre d'eau. Salez, poivrez et mixez.

• Dressez dans des bols. Déposez 1 tranche de **kiwi** dans chaque bol et dégustez.

LA FAMEUSE SOUPE DE RÉMY

Lardons
100 g

Poireau
x 1

Navets
x 2

Carottes
x 4

 Sel, poivre

⏱

Préparation : 5 min
Cuisson : 35 min

• Épluchez et coupez les **légumes** en petits morceaux et mettez-les avec les **lardons** et 1 l d'eau dans une sauteuse.

• À ébullition, laissez cuire 30 min à feu doux. Ajoutez un peu d'eau si la préparation réduit trop.

• Salez, poivrez et dégustez.

LA SOUPE DE LA FORÊT

Airelles
2 cuil. à soupe

Pleurotes
200 g

Myrtilles
1 barquette (125 g)

Chanterelles
200 g

Lardons
200 g

 **Sel, poivre**

🐭🐭🐭🐭

🕐
Préparation : 10 min
Cuisson : 20 min

• Lavez et équeutez les **champignons**.

• Faites saisir les **lardons** 1 min à feu vif dans une cocotte sans matière grasse. Ajoutez les **champignons** et faites-les roussir 5 min en remuant. Ajoutez les **myrtilles**, les **airelles** et 70 cl d'eau.

• Salez, poivrez et laissez mijoter 15 min à feu doux.

LA SOUPE MAGIQUE DE LA FÉE MARRAINE

Citrouille
x 1 (environ 1,6 kg)

Pain complet
4 tranches (grandes)

Cheddar râpé
180 g

🧂🧂 **Sel, poivre**

🍽 **: 4 à 6**

🕐

Préparation : 20 min
Cuisson : 45 min

• Préchauffez le four à 180°C.

• Découpez le chapeau de la **citrouille**. Évidez-la et taillez la chair en morceaux. Faites-les cuire 15 min avec de l'eau à hauteur puis mixez. Coupez les tranches de **pain** en 2. Garnissez la **citrouille** en alternant 1 couche de soupe, 1 couche de **pain** et 1 couche de **cheddar**. Salez et poivrez entre chaque. Enfournez 30 min et dégustez.

LE FLASH BURGER

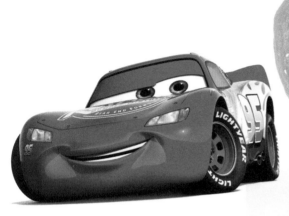

Pains à burger
x 4

Courgettes
x 3

Bœuf haché
400 g (5 % MG)

Aubergines
x 2

Tomates
x 6

Sel, poivre

2 cuil. à soupe
d'huile neutre

Préparation : 15 min
Cuisson : 50 min

- Préchauffez le four à 200°C.
- Coupez les **légumes** en tranches fines et enfournez-les 35 min sur une plaque avec 2 cuil. à soupe d'**huile**. Salez et poivrez.
- Coupez les **pains** en 2 et répartissez la moitié des **légumes**, la **viande hachée** façonnée en steak puis le reste des légumes. Refermez les pains. Enfournez 15 min de plus et dégustez.

LES ÉPIS DE MAÏS DE JOHN SMITH

Épis de maïs
x 4

Paprika
1 cuil. à soupe

Curry
1 cuil. à soupe

Origan séché
1 cuil. à soupe

Feta
70 g

 **Sel, poivre**

**Préparation : 5 min
Cuisson : 30 min**

• Faites cuire les **épis de maïs** 30 min à l'eau bouillante ou à la vapeur.

• Saupoudrez de **curry**, de **paprika** et d'**origan** les **épis** encore chauds.

• Parsemez la **feta** émiettée. Salez, poivrez et dégustez.

NUGGETS AU FOUR

Escalopes de dinde
x 4

Œufs
x 2

Corn flakes
150 g

Yaourts à la grecque
x 2

Curry
3 cuil. à soupe

 Sel, poivre

②

Préparation : 15 min
Cuisson : 15 min

- Préchauffez le four à 180°C.
- Écrasez les **corn flakes**. Battez les **œufs**.
- Découpez les **escalopes** en lanières, passez-les dans l'**œuf** battu puis dans les **corn flakes** écrasés. Disposez-les sur une plaque recouverte de papier cuisson. Salez, poivrez et enfournez-les 15 min. Mélangez le **yaourt** avec le **curry** et dégustez avec les nuggets.

FRITES DE PATATES DOUCES AU FOUR

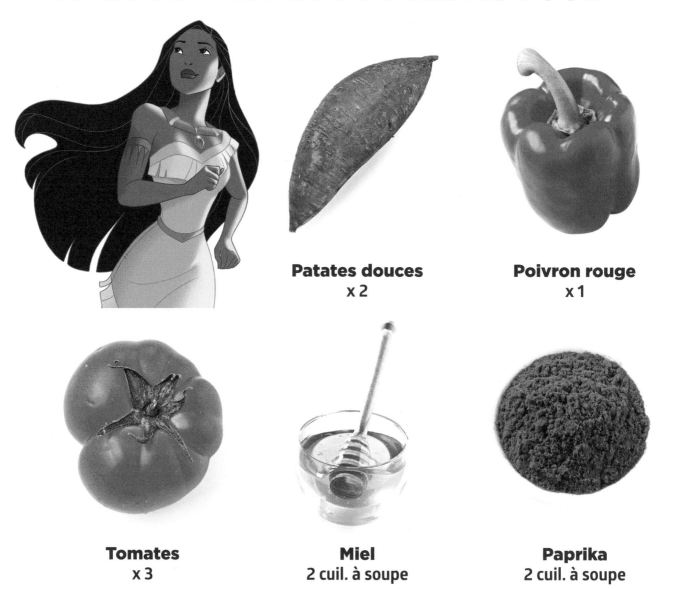

Patates douces
x 2

Poivron rouge
x 1

Tomates
x 3

Miel
2 cuil. à soupe

Paprika
2 cuil. à soupe

Sel, poivre

2 cuil. à soupe d'huile neutre

Préparation : 10 min
Cuisson : 40 min

• Préchauffez le four à 180°C.

• Épluchez et découpez les **patates douces** en frites. Mélangez-les avec 2 cuil. à soupe d'**huile** sur une plaque. Salez, poivrez. Enfournez 20 min.

• Faites revenir le **poivron** et les **tomates** en morceaux avec le **miel** et le **paprika** dans une casserole, baissez le feu et laissez cuire 20 min. Salez, poivrez, mixez et dégustez avec les frites.

POTATOES AU FOUR, SAUCE CIBOULETTE

Ciboulette
1 botte

Pommes de terre
800 g (Roseval)

Paprika
2 cuil. à soupe

Huile
2 cuil. à soupe

Yaourts à la grecque
x 2

 Sel, poivre

Préparation : 5 min
Cuisson : 45 min

- Préchauffez le four à 180°C.
- Lavez et découpez les **pommes de terre** en quartiers, mélangez-les dans un saladier avec l'**huile** et le **paprika**. Salez, poivrez.
- Faites-les cuire 45 min sur une plaque couverte de papier cuisson.
- Fouettez les **yaourts** avec la **ciboulette** ciselée et dégustez avec les **potatoes**.

EMPANADA PRÉFÉRÉE DE MIGUEL

Pâte brisée
x 1

Bœuf haché
250 g (5 % MG)

Mozzarella
2 boules

Cumin en poudre
2 cuil. à soupe

 **Sel, poivre**

🕐

Préparation : 10 min
Cuisson : 25 min

- Préchauffez le four à 200°C.
- Déroulez la **pâte brisée** avec le papier cuisson sur une plaque. Mélangez le **bœuf haché**, le **cumin** et la **mozzarella** coupée en morceaux. Salez, poivrez.
- Répartissez la préparation sur la moitié de la **pâte**. Repliez-la en chausson et soudez les bords à la fourchette. Enfournez 25 min.

LA SPÉCIALE DU PIZZA PLANET

Pâte à pizza
x 1

Bœuf haché
300 g (5 % MG)

Sauce tomate
4 cuil. à soupe (spéciale pizza)

Origan séché
2 cuil. à soupe

Mozzarella
1 boule

 **Sel, poivre**

Préparation : 5 min
Cuisson : 25 min

• Préchauffez le four à 200°C.

• Coupez la **mozzarella** en gros morceaux. Façonnez 8 boulettes avec la **viande**. Étalez la **pâte** sur une plaque recouverte de papier cuisson. Répartissez la **sauce tomate** sur toute la surface de la **pâte**. Ajoutez la **mozzarella** et les boulettes. Saupoudrez d'**origan**. Salez, poivrez.

• Enfournez 25 min et dégustez.

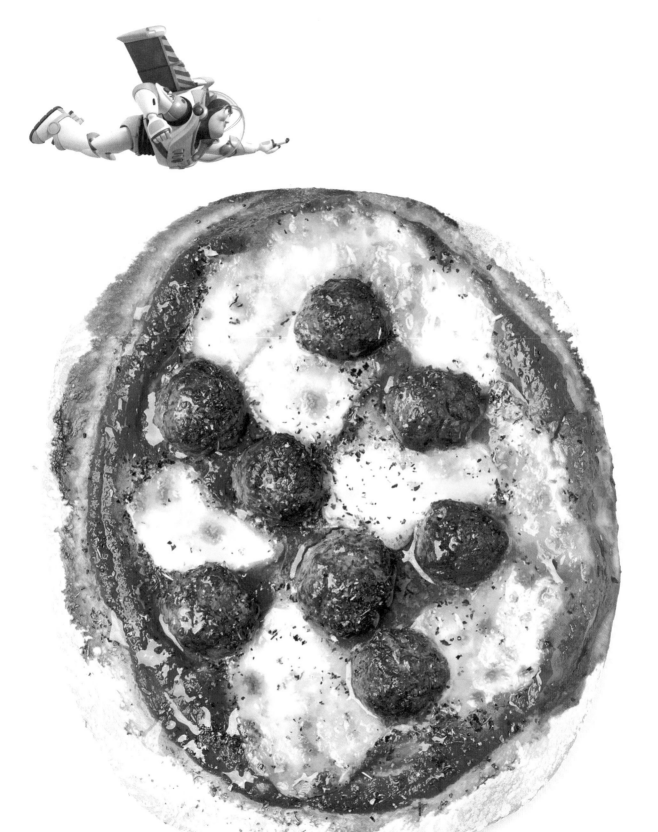

PIZZA HAWAÏENNE

Pâte à pizza
x 1

Sauce tomate
4 cuil. à soupe (spéciale pizza)

Ananas au sirop
4 tranches

Jambon blanc
2 tranches (sans couenne)

Parmesan
2 cuil. à soupe

Sel, poivre

Préparation : 5 min
Cuisson : 25 min

• Étalez la **pâte** sur une plaque recouverte de papier cuisson. Répartissez la **sauce tomate** sur toute la surface de la **pâte**.

• Ajoutez le **jambon** coupé en morceaux et les tranches d'**ananas**. Saupoudrez de **parmesan**. Salez, poivrez.

• Enfournez 25 min et dégustez.

VEGGIE PIZZA AU FROMAGE

Pâte à pizza
x 1 (rectangulaire)

Tomates
x 3

Courgette
x 1 (grosse)

Poivron vert
x 1

Cheddar râpé
100 g

 **Sel, poivre**

: 4 à 6

Préparation : 10 min
Cuisson : 35 min

• Préchauffez le four à 200°C.

• Déroulez la **pâte à pizza** sur une plaque avec le papier cuisson.

• Découpez les **légumes** en fines tranches et répartissez-les sur la **pâte**, salez, poivrez. Parsemez le **cheddar** et enfournez 35 min.

• Dégustez chaud ou froid.

TORTELLINIS DE GEPPETTO

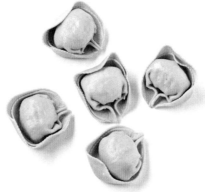

Tortellinis
250 g (ricotta-épinards)

Coppa
4 tranches

Basilic
1 botte

Pignons de pin
6 cuil. à soupe

 **Sel, poivre**

 1 filet d'huile d'olive

Préparation : 5 min
Cuisson : 10 min

• Faites cuire les **tortellinis** 5 min à l'eau bouillante.

• Faites dorer les **pignons** 30 s dans une poêle, ajoutez les **tortellinis** et la **coppa** et laissez cuire 1 min en remuant.

• Stoppez le feu ajoutez les feuilles de **basilic**, salez, poivrez, mélangez et dégustez avec 1 filet d'**huile d'olive**.

LES SPAGHETTIS DE CHEZ TONY

Spaghettis
300 g

Chair à saucisse
400 g

Coulis de tomates
500 g

Bouquets garnis
x 2

Oignon doux
x 1 (gros)

 **Sel, poivre**

 **1 cuil. à soupe d'huile neutre**

🐭🐭🐭🐭

🕐

Préparation : 10 min
Cuisson : 40 min

• Façonnez 12 boulettes avec la **chair à saucisse**. Hachez **l'oignon**.

• Faites saisir les boulettes et l'**oignon** à feu vif dans une poêle 5 min avec 1 cuil. à soupe d'**huile**. Ajoutez le **coulis de tomates** et les **bouquets garnis**. Salez, poivrez. Baissez le feu et laissez cuire 25 min de plus à feu doux.

• Dégustez avec les **spaghettis** cuits *al dente*.

LES SOBA DE TANTE CASS

Nouilles soba
150 g

Petits pois
200 g (frais ou surgelés)

Huile de sésame
4 cuil. à soupe

Graines de sésame
6 cuil. à soupe

Œufs
x 4

 **Sel, poivre**

Préparation : 10 min
Cuisson : 10 min

• Faites cuire les **œufs** 5 min précises à l'eau bouillante et épluchez-les délicatement.

• Plongez les **nouilles** et les **petits pois** 5 min dans de l'eau bouillante salée. Égouttez-les et mélangez-les avec les **graines** et l'**huile de sésame**. Salez, poivrez.

• Dégustez avec les **œufs** coupés en 2.

LES SPAGHETTIS DES ARISTOCHATS

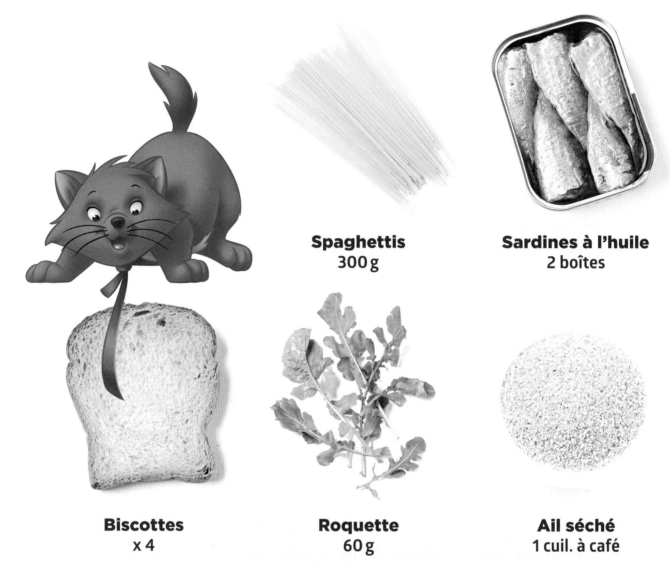

Spaghettis
300 g

Sardines à l'huile
2 boîtes

Biscottes
x 4

Roquette
60 g

Ail séché
1 cuil. à café

 Sel

Préparation : 5 min
Cuisson : 10 min

• Faites cuire les **spaghettis** (*al dente*) à l'eau bouillante salée. Égouttez-les et mettez-les dans une poêle avec 1 cuil. à soupe d'eau de cuisson, les **sardines** en morceaux avec l'huile d'1 boîte, les biscottes émiettées grossièrement et l'**ail séché**. Mélangez et laissez cuire 2 min en remuant.

• Hors du feu, ajoutez la **roquette**, mélangez, poivrez et dégustez immédiatement.

LES PÂTES DE LADY

Spaghettis
300 g

Bœuf haché
400 g (5 % MG)

Basilic
20 feuilles

Tomates cerise
250 g

Oignon doux
x 1

 Sel, poivre

2 cuil. à soupe d'huile d'olive

Parmesan en poudre 4 cuil. à soupe

Préparation : 10 min
Cuisson : 45 min

• Faites cuire les **spaghettis** (*al dente*) à l'eau bouillante salée, égouttez-les.

• Faites chauffer l'**huile** dans une cocotte et faites-y colorer l'**oignon** émincé.

• Ajoutez les **tomates cerise** coupées en 2, 50 cl d'eau et faites cuire 30 min à feu doux. Ajoutez le **bœuf**, les **spaghettis**, le **basilic**, laissez cuire 5 min de plus et dégustez avec du **parmesan**.

OMELETTE POUR LINGUINI

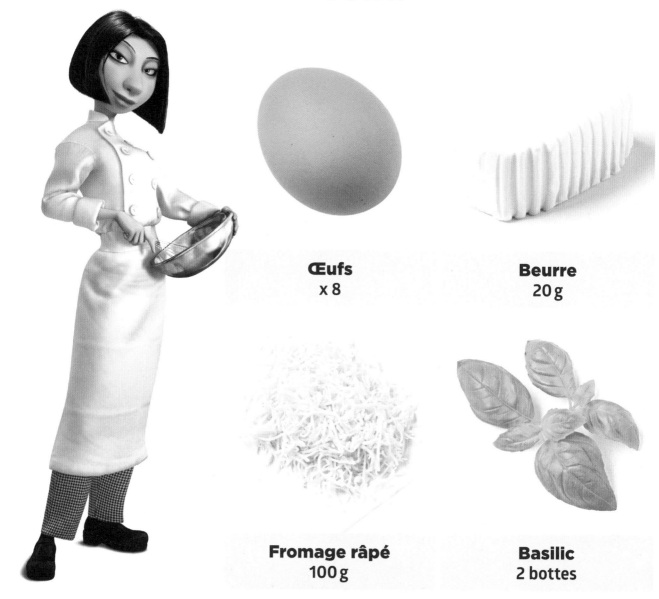

Œufs
x 8

Beurre
20 g

Fromage râpé
100 g

Basilic
2 bottes

 **Sel, poivre**

 **1 cuil. à soupe
d'huile neutre**

Préparation : 5 min
Cuisson : 5 min

• Battez les **œufs** avec une fourchette, ajoutez les feuilles de **basilic** coupées aux ciseaux et le **fromage râpé**. Salez, poivrez.

• Faites fondre le **beurre** avec 1 cuil. à soupe d'**huile** dans une poêle et versez l'omelette.

• Laissez cuire 4-5 min en remuant jusqu'à cuisson complète des **œufs**. Dressez l'omelette dans un plat et dégustez immédiatement.

CHAMPIGNONS FARCIS AU FROMAGE

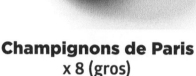

Champignons de Paris
x 8 (gros)

Origan séché
1 cuil. à soupe

Fromage frais
150 g

 **Sel, poivre**

1 filet d'huile d'olive

🕐

Préparation : 15 min
Cuisson : 25 min

• Préchauffez le four à 180°C.

• Lavez les **champignons**, coupez les queues et hachez-les. Mélangez le hachis avec le **fromage frais** et l'**origan**. Salez, poivrez. Farcissez les **champignons** avec cette préparation.

• Placez les **champignons** dans un plat à gratin et enfournez-les 25 min. Dégustez avec 1 filet d'**huile d'olive**.

AUBERGINES FARCIES À LA RATATOUILLE

Aubergines
x 2

Herbes de Provence
1 cuil. à soupe

Cheddar râpé
100 g

Tomates
x 4

Courgette
x 1

 **Sel, poivre**

🐭🐭🐭🐭

🕐

Préparation : 15 min
Cuisson : 45 min

• Préchauffez le four à 200°C.

• Coupez les **aubergines** en 2, récupérez la chair.

• Taillez la chair des **aubergines**, les **tomates** et la **courgette** en dés. Mélangez-les avec les **herbes de Provence**, salez, poivrez et farcissez les **aubergines**.

• Posez-les dans un plat à four avec 3 verres d'eau.

• Parsemez de **cheddar** et enfournez 45 min.

LES YAKITORIS FAVORIS DE HIRO

Blancs de poulet
x 3

Graines de sésame
2 cuil. à soupe

Shiitakés
x 10

Sauce soja
10 cl

 Sel, poivre

Préparation : 10 min
Cuisson : 10 min
Marinade : 20 min

• Préchauffez le four à 180°C.

• Coupez les **shiitakés** et le **poulet** en petits morceaux. Montez 12 brochettes en alternant le **poulet** et les **champignons**. Placez-les dans un plat. Ajoutez les **graines de sésame** et la **sauce soja**. Laissez mariner 20 min.

• Enfournez 10 min et dégustez avec le jus de cuisson.

LA POÊLÉE AU CHORIZO D'HECTOR

Mini-épis de maïs
2 bocaux (380 g égouttés)

Chorizo
x ½

Tomates cerise
x 20

Coriandre
1 botte

 Sel, poivre

Préparation : 6 min
Cuisson : 6 min

- Faites saisir 5 min à feu vif les **mini-épis de maïs** et le **chorizo** coupé en tranches.
- Ajoutez les **tomates cerise**. Salez, poivrez et laissez cuire 1 min de plus.
- Dégustez immédiatement avec la **coriandre** effeuillée.

RATATOUILLE FAÇON GUSTEAU

Basilic
1 botte

Tomates
x 6

Courgettes
x 4

Jambon blanc
4 tranches (sans couenne)

Aubergine
x 1

 **Sel, poivre**

 : 4 à 5

🕐

Préparation : 15 min
Cuisson : 30 min

- Préchauffez le four à 200°C.
- Lavez et coupez tous les **légumes** en tranches fines sans les éplucher et dressez-les dans un grand plat à four en les intercalant avec les tranches de **jambon** coupées en 4 et les feuilles de **basilic**.
- Salez, poivrez. Enfournez 30 min et dégustez.

LES BROCHETTES DES CASTORS JUNIORS

Pilons de poulet
x 4

Pommes de terre
x 4 (Roseval)

Citrons verts
x 2

Oignons rouges
x 2

Thym
4 branches (frais ou séché)

  Sel, poivre

**2 cuil. à soupe
d'huile neutre**

**Préparation : 10 min
Cuisson : 45 min**

106

- Préchauffez le four à 180°C.
- Coupez 1 **citron vert** en 8 tranches, les **pommes de terre** en 2, les **oignons** en 4.
- Montez 4 brochettes en intercalant tous les ingrédients. Placez les brochettes dans un plat, ajoutez 2 cuil. à soupe d'**huile**, le jus du **citron vert** restant, le **thym**. Salez, poivrez et enfournez 45 min.

LES PETITS POIS DE SKINNER

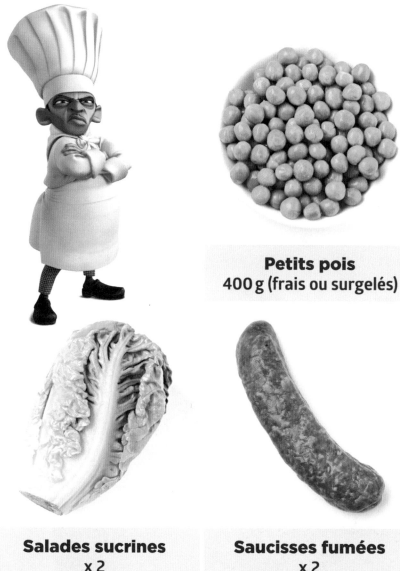

Petits pois
400 g (frais ou surgelés)

Oignon doux
x 1

Salades sucrines
x 2

Saucisses fumées
x 2

Sel, poivre

2 cuil. à soupe d'huile neutre

Préparation : 10 min
Cuisson : 20 min

• Faites revenir 5 min l'**oignon** haché et les **saucisses** coupées en rondelles dans une cocotte avec 2 cuil. à soupe d'**huile**. Ajoutez les **petits pois** et les **sucrines** émincées. Laissez cuire 15 min en remuant de temps en temps.

• Salez, poivrez et dégustez.

LES SALTIMBOCCAS DE PINOCCHIO

Escalopes de veau
x 4 (petites et aplaties)

Pousses d'épinards
60 g

Mozzarella
1 boule

Jambon cru
4 tranches (fines)

Romarin
4 brins

Sel, poivre

Préparation : 5 min
Cuisson : 20 min

• Préchauffez le four à 180°C.

• Posez les tranches de **jambon** sur les **escalopes de veau**. Répartissez les **pousses d'épinards** et la **mozzarella** coupée en morceaux.

• Roulez les saltimboccas et fixez-les avec une branche de **romarin**. Placez-les dans un plat à gratin, salez, poivrez et enfournez 20 min.

PORC À L'ANANAS

Côtes de porc
x 4

Ananas au sirop
2 tranches

Sauce soja
8 cuil. à soupe

Coriandre
1 botte

 **1 cuil. à soupe
d'huile neutre**

🐭🐭🐭🐭

🕐
**Préparation : 5 min
Cuisson : 25 min**

• Faites saisir les **côtes de porc** 2 min dans une poêle avec 1 cuil. à soupe d'**huile**. Ajoutez l'**ananas** coupé en morceaux, 6 cuil. à soupe de son sirop et la **sauce soja**, baissez le feu et laissez cuire 20 min en arrosant de temps en temps avec le jus de cuisson.

• Ajoutez la **coriandre** coupée aux ciseaux et dégustez.

AGNEAU D'AGRABAH À LA GRENADE

Sauté d'agneau
1,2 kg

Curcuma
2 cuil. à soupe

Menthe
1 botte

Grenade
x 1

 **Sel, poivre**

 **2 cuil. à soupe d'huile neutre**

🖐🖐🖐🖐🖐

🕐

Préparation : 5 min
Cuisson : 1 h 30

• Faites saisir les morceaux d'**agneau** à feu vif dans une cocotte avec 2 cuil. à soupe d'**huile**.

• Ajoutez le **curcuma** et 50 cl d'eau. Salez, poivrez, mélangez. Baissez le feu, couvrez et laissez cuire 1 h 30 à feu doux.

• Évidez la **grenade** pour récupérer les graines. Ajoutez-les sur l'**agneau** et dégustez avec la **menthe**.

114

COCOTTE POUR LES ENFANTS PERDUS

Souris d'agneau
x 4 (dégraissées)

Bouquets garnis
x 2

Menthe
1 botte

Petits pois
600 g (frais ou surgelés)

 **Sel, poivre**

🐭🐭🐭🐭🐭

Préparation : 5 min
Cuisson : 2h

• Préchauffez le four à 200°C.

• Placez les **souris d'agneau** dans une cocotte avec les **bouquets garnis** et 50 cl d'eau, salez, poivrez, couvrez et enfournez 1h 30.

• Ajoutez les **petits pois** et la **menthe** coupée aux ciseaux. Faites cuire 30 min de plus et dégustez.

PORC À LA CHINOISE DE GRAND-MÈRE FA

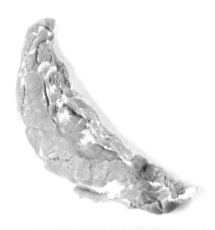

Mignon de porc
400 g

Poivrons rouges
x 2

Gingembre
80 g

Sauce soja
8 cuil. à soupe

Noix de cajou
125 g (grillées)

 **1 cuil. à soupe d'huile neutre**

Préparation : 5 min
Cuisson : 20 min

• Coupez le **mignon de porc** en morceaux et émincez les **poivrons** et le **gingembre**.

• Faites saisir la **viande**, le **gingembre** et les **poivrons** dans une poêle avec 1 cuil. à soupe d'**huile**.

• Ajoutez la **sauce soja** et les **noix de cajou** puis laissez cuire 15 min à feu doux en remuant de temps en temps.

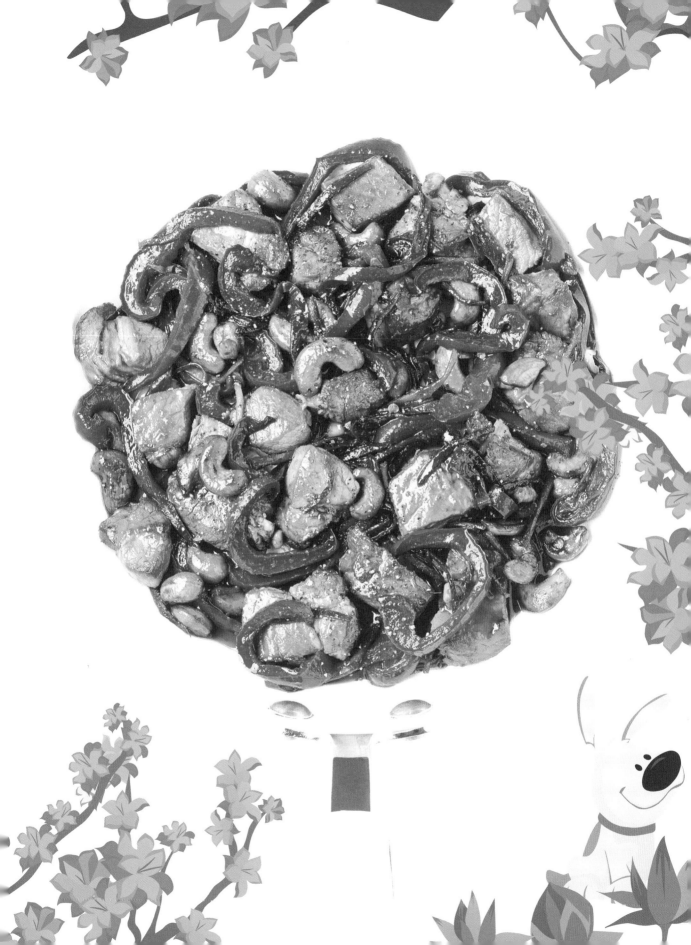

POT-AU-FEU DE RACINES

Bouquets garnis
x 2

Plat de côtes de bœuf
1,2 kg

Carottes jaunes
x 3

Panais
x 2

Navets boule d'or
x 3

 Sel, poivre

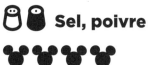

Préparation : 10 min
Cuisson : 2 h 45

• Mettez la **viande** dans une cocotte, ajoutez 2 l d'eau et faites mijoter 2 h à couvert et à feu doux.
• Épluchez et ajoutez les **légumes**, les **bouquets garnis**, salez, poivrez et faites cuire 45 min de plus puis dégustez.

LES PETITS FARCIS DE CENDRILLON

Potimarrons
x 2

Blancs de poulet
x 2

Carottes râpées
150 g

Parmesan
4 cuil. à soupe

 **Sel, poivre**

Préparation : 10 min
Cuisson : 40 min

- Préchauffez le four à 180°C.
- Mélangez le **poulet** coupé en morceaux avec les **carottes râpées** et le **parmesan**. Salez et poivrez.
- Coupez les **potimarrons** en 2, évidez-les et farcissez-les avec la préparation au **poulet**.
- Enfournez 40 min dans un plat à gratin et dégustez bien chaud.

LA COCOTTE DU SNUGGLY DUCKLING

Bourguignon
1,2 kg

Fèves
200 g (épluchées et surgelées)

Carottes fanes
1 botte

Bouquets garnis
x 3

 **Sel, poivre**

 **3 cuil. à soupe d'huile neutre**

Préparation : 5 min
Cuisson : 2 h 40

• Faites saisir les morceaux de **bœuf** à feu vif dans une cocotte 10 min avec 3 cuil. à soupe d'**huile**. Salez, poivrez. Ajoutez 2 l d'eau et les **bouquets garnis**. Laissez mijoter 2 h à couvert et à feu doux.

• Ajoutez les **carottes** pelées entières (ou coupées si elles sont grosses) et les **fèves**. Faites cuire 30 min de plus à couvert et à feu doux.

MOUSSAKA

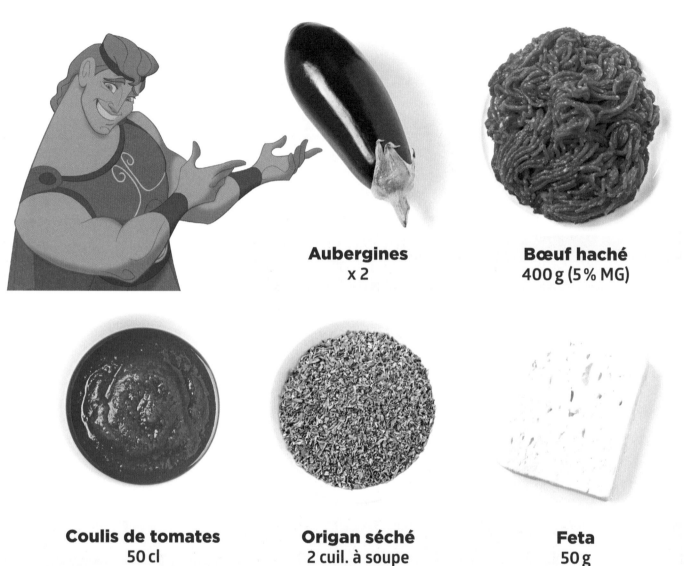

Aubergines
x 2

Bœuf haché
400 g (5 % MG)

Coulis de tomates
50 cl

Origan séché
2 cuil. à soupe

Feta
50 g

 **Sel, poivre**

1 filet d'huile d'olive

Préparation : 5 min
Cuisson : 45 min

• Préchauffez le four à 180°C.

• Coupez les **aubergines** en morceaux et mélangez-les avec le **bœuf haché**, le **coulis de tomates** et l'**origan** dans un plat à gratin. Salez, poivrez. Parsemez de **feta** émiettée.

• Enfournez 45 min et dégustez avec 1 filet d'**huile d'olive**.

BOULETTES DE VIANDE DE PONGO

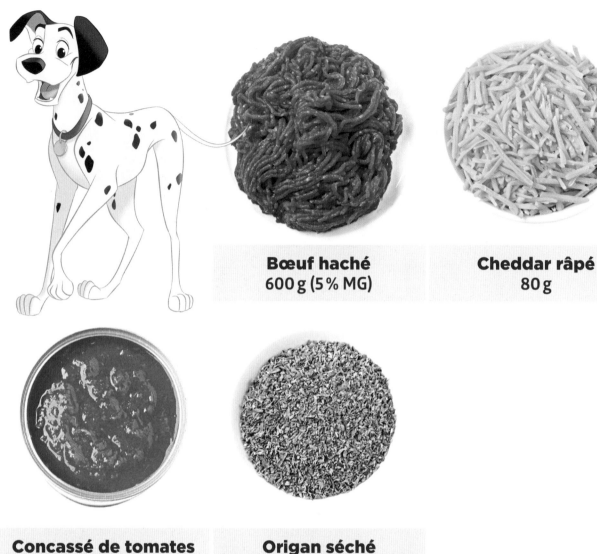

Bœuf haché
600 g (5 % MG)

Cheddar râpé
80 g

Concassé de tomates
1 petite boîte (400 g)

Origan séché
1 cuil. à soupe

 **Sel, poivre**

 **1 filet d'huile d'olive**

Préparation : 5 min
Cuisson : 15 min

• Préchauffez le four à 200°C.

• Mélangez le **bœuf haché**, le **cheddar** et l'**origan**. Façonnez 8 boulettes. Salez, poivrez. Disposez-les dans un plat avec le **concassé de tomates**.

• Enfournez 15 min et dégustez avec 1 filet d'**huile d'olive**.

LE SUPER STEAK DE LA FAMILLE PARR

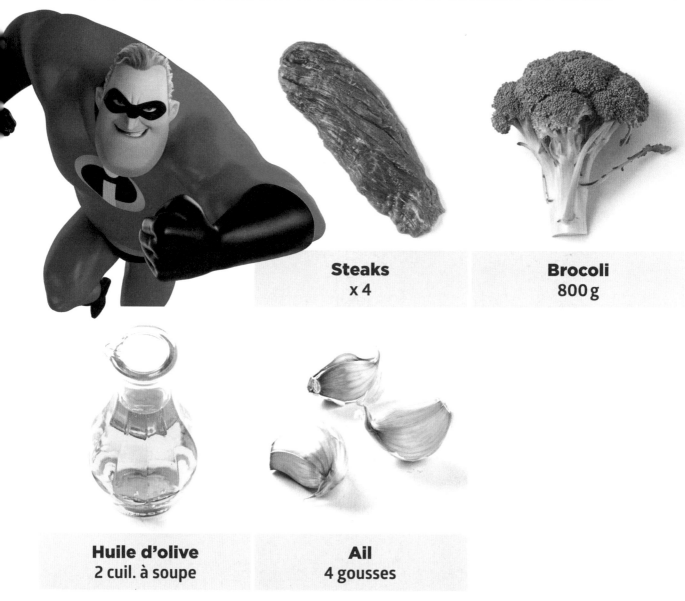

Steaks
x 4

Brocoli
800 g

Huile d'olive
2 cuil. à soupe

Ail
4 gousses

 **Sel, poivre**

🐭🐭🐭🐭

Préparation : 10 min
Cuisson : 11 min

• Découpez-les **steaks** en morceaux. Épluchez et émincez l'**ail**. Découpez le **brocoli** en morceaux et ébouillantez-les 5 min.

• 5 min avant de déguster, faites saisir 1 min dans une poêle l'**ail** avec l'**huile d'olive**. Ajoutez les morceaux de **viande**, laissez cuire 2 min.

• Ajoutez le **brocoli** et laissez cuire 3 min de plus en remuant. Salez, poivrez et dégustez.

LES CAILLES AUX CHAMPIGNONS DE FLYNN

Cailles
x 4

Champignons sauvages
600 g

Bouillon de volaille
30 cl

Bouquets garnis
x 2

 Sel, poivre

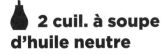 **2 cuil. à soupe
d'huile neutre**

🕐

**Préparation : 10 min
Cuisson : 45 min**

• Faites colorer les **cailles** dans une cocotte
avec 2 cuil. à soupe d'**huile** 10 min en les remuant.

• Versez le **bouillon** puis ajoutez
les **champignons** équeutés et lavés et
les **bouquets garnis**.

• Salez, poivrez, baissez le feu et laissez mijoter
35 min à feu doux et à couvert. Dégustez.

JAMBALAYA DE TIANA

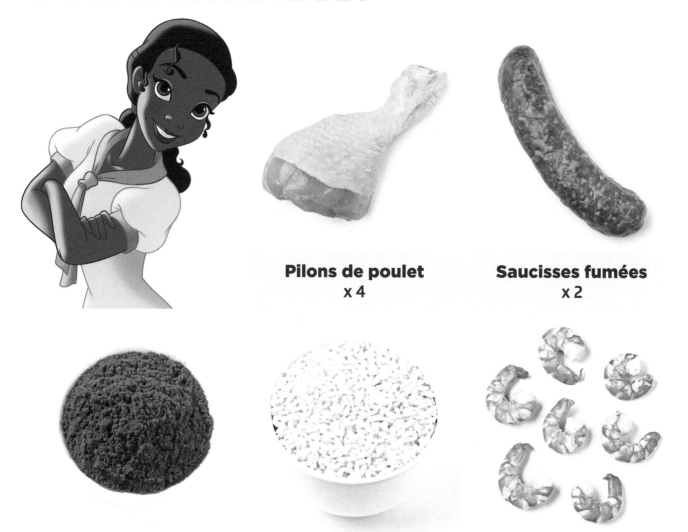

Pilons de poulet
x 4

Saucisses fumées
x 2

Paprika
2 cuil. à soupe

Riz
400 g

Crevettes roses
200 g (cuites, décortiquées)

Sel, poivre

**Préparation : 5 min
Cuisson : 45 min**

• Préchauffez le four à 200°C.

• Mélangez le **riz**, les **pilons de poulet**, les **crevettes**, les **saucisses fumées** coupées en morceaux, 1 l d'eau et le **paprika** dans un plat à four. Salez, poivrez et mélangez.

• Enfournez 45 min et dégustez.

BLANQUETTE DE POULET DE BLANCHE-NEIGE

Blancs de poulet
x 4

Champignons de Paris
1 barquette (250 g)

Estragon
1 botte

Yaourts à la grecque
x 3

 **Sel, poivre**

2 cuil. à soupe d'huile neutre

🕐

**Préparation : 5 min
Cuisson : 20 min**

• Faites saisir à la poêle les **champignons** épluchés coupés en 4 et les **blancs de poulet** coupés en morceaux avec 2 cuil. à soupe d'**huile**.

• Laissez cuire 10 min. Ajoutez les **yaourts à la grecque** et faites cuire 10 min de plus.

• Salez, poivrez. Parsemez d'**estragon** effeuillé et dégustez immédiatement.

LE POULET DE WENDY

Poulet fermier
x 1

Brocoli
500 g

Chou romanesco
600 g

Pesto
2 cuil. à soupe

Bouquets garnis
x 2

 Sel, poivre

 : 5

🕐
Préparation : 15 min
Cuisson : 50 min

• Préchauffez le four à 180°C.

• Mettez le **poulet** badigeonné de **pesto** dans un grand plat à gratin. Ajoutez le **brocoli** et le **chou romanesco** coupés en morceaux, 4 verres d'eau et les **bouquets garnis**. Salez et poivrez.

• Enfournez 50 min et dégustez.

LE DÉLICE DE TIMOTHÉE ET DUMBO

Pavés de bœuf
x 3

Pois gourmands
250 g

Sauce soja
4 cuil. à soupe

Gingembre
50 g

Arachides entières
100 g

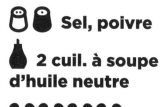 **Sel, poivre**

2 cuil. à soupe d'huile neutre

Préparation : 5 min
Cuisson : 5 min

- Ébouillantez 2 min les **pois gourmands**.
- Épluchez et râpez le **gingembre** et décortiquez les **arachides**.
- Faites revenir la **viande** coupée en morceaux 2 min avec le **gingembre** et 2 cuil. à soupe d'**huile** dans une poêle. Ajoutez les **pois gourmands**, la **sauce soja** et les **arachides**, salez, poivrez, mélangez et dégustez.

LA TOURTE DE MERLIN

Pâte brisée
x 1

Chair à saucisse
250 g

Bœuf haché
250 g (5 % MG)

Pommes de terre
400 g

Thym séché
1 cuil. à soupe

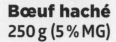 **Sel, poivre**

Préparation : 10 min
Cuisson : 45 min

- Préchauffez le four à 180°C.
- Épluchez et découpez les **pommes de terre** en tout petits dés. Mélangez-les avec les 2 **viandes** et le **thym** dans un plat. Salez, poivrez et recouvrez avec la **pâte brisée**. Rabattez les bords et soudez-les à la fourchette.
- Faites 2 petites cheminées avec du papier cuisson et enfournez 45 min. Dégustez bien chaud.

CURRY À LA PATATE DOUCE DE TIANA

Sauté de porc
1,2 kg

Coriandre
1 botte

Curry
2 cuil. à soupe

Lait de coco
80 cl

Patate douce
x 1 (environ 300 g)

🧂🧂 **Sel, poivre**

🫗 **2 cuil. à soupe d'huile neutre**

Préparation : 5 min
Cuisson : 2 h 05

• Faites colorer les morceaux de **porc** dans une cocotte avec 2 cuil. à soupe d'**huile**. Ajoutez le **lait de coco**, le **curry**, salez, poivrez et laissez mijoter 1 h 45 à feu doux et à couvert.

• Ajoutez la **patate douce** en petits cubes et laissez cuire 15 min à couvert.

• Servez directement dans la cocotte et dégustez avec la **coriandre** coupée aux ciseaux.

LES TRUITES DE MÉRIDA

Truites arc-en-ciel
x 4 (entières et vidées)

Amandes effilées
4 cuil. à soupe

Noisettes entières
2 cuil. à soupe

Myrtilles
2 barquettes (125 g chacune)

 Sel, poivre

2 cuil. à soupe
d'huile neutre

Préparation : 5 min
Cuisson : 25 min

- Préchauffez le four à 180°C.
- Placez les **truites** dans un grand plat à gratin, ajoutez les **amandes** et les **noisettes** concassées. Salez, poivrez, arrosez avec 2 cuil. à soupe d'**huile** et enfournez 15 min.
- Ajoutez les **myrtilles**, enfournez 10 min de plus et dégustez.

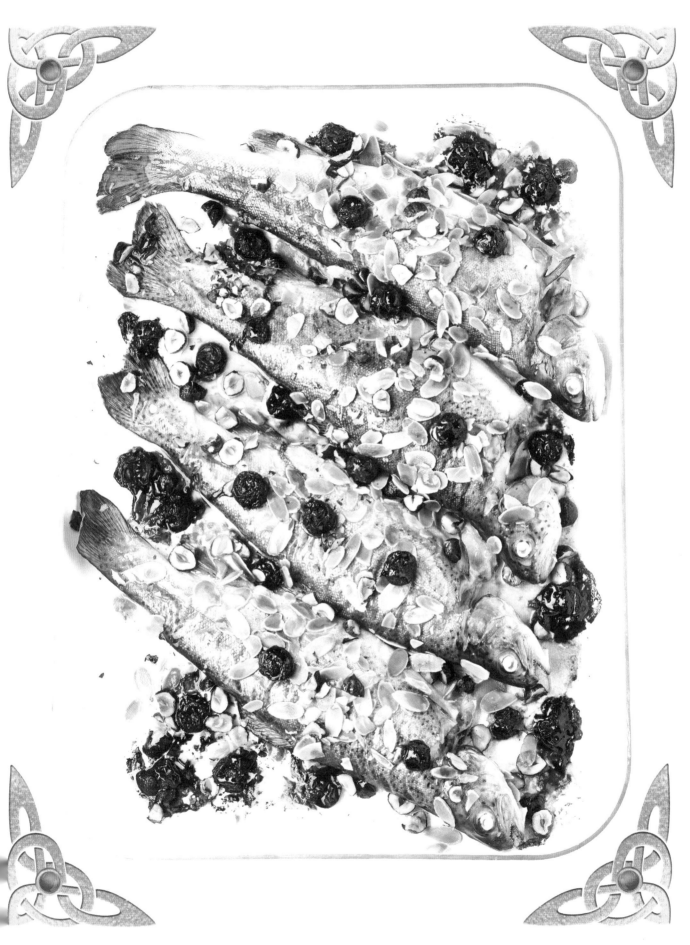

LES GOMBOS DE JAMES

Concassé de tomates
1 petite boîte (400 g)

Crevettes roses
300 g (décortiquées et crues)

Chair de crabe
1 boîte

Mélange 5 épices
1 cuil. à soupe

Gombos
x 20

 **Sel, poivre**

**2 cuil. à soupe
d'huile neutre**

: 4 à 5

**Préparation : 5 min
Cuisson : 10 min**

• Découpez les **gombos** en gros morceaux et faites-les saisir 2 min avec les **crevettes** et le **mélange 5 épices** dans une cocotte avec 2 cuil. à soupe d'**huile**.

• Ajoutez le **concassé de tomates**, la **chair de crabe**, salez et poivrez.

• Faites cuire 8 min de plus en remuant et dégustez.

148

LES BROCHETTES DE RIRI, FIFI ET LOULOU

Pavés de saumon
x 4 (120 g chacun)

Romarin
8 branches

Courgette
x 1 (grosse)

Sauce soja
2 cuil. à soupe

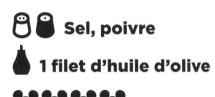 **Sel, poivre**

1 filet d'huile d'olive

Préparation : 15 min
Cuisson : 10 min

• Préchauffez le four à 180°C.

• Taillez la **courgette** en larges lanières avec un économe. Découpez les **pavés de saumon** en 4 et enveloppez-les avec les lanières de **courgettes**.

• Montez 8 brochettes sur les branches de **romarin**. Salez, poivrez. Enfournez les brochettes 10 min et dégustez avec la **sauce soja** et 1 filet d'**huile d'olive**.

LE CHILI DE PACHA

Noix de saint-jacques
400 g (avec corail)

Haricots rouges
1 grosse boîte (800 g)

Tomates pelées
1 petite boîte (400 g)

Cumin en poudre
2 cuil. à soupe

 **Sel, poivre**

1 cuil. à soupe d'huile neutre

🕐

Préparation : 5 min
Cuisson : 20 min

• Faites saisir les **noix de saint-jacques** 5 min à feu vif dans une cocotte avec 1 cuil. à soupe d'**huile**.

• Ajoutez les **tomates pelées** avec leur jus, le **cumin** et les **haricots rouges**. Salez, poivrez.

• Baissez le feu et laissez cuire 15 min à feu doux en remuant de temps en temps et dégustez.

LE SAUMON DE LA FORÊT DES RÊVES BLEUS

Pavés de saumon
x 4

Muesli croustillant
2 cuil. à soupe (non sucré)

Airelles au naturel
2 cuil. à soupe

Miel liquide
1 cuil. à soupe

Citrons
x 2

Sel, poivre

Préparation : 5 min
Cuisson : 20 min

• Préchauffez le four à 180°C.

• Placez les **pavés de saumon** dans un plat à gratin, recouvrez-les avec le **muesli**. Faites chauffer le **miel** avec le jus des **citrons** et versez sur les **pavés de saumon**. Salez, poivrez et ajoutez les **airelles**.

• Enfournez 20 min et dégustez.

CABILLAUD DE FIGARO

Tomate
x 1

Filets de cabillaud
x 2 (environ 1 kg)

Moutarde à l'ancienne
2 cuil. à soupe

Crème liquide
20 cl

Estragon
1 botte

 **Sel, poivre**

 **1 cuil. à soupe d'huile d'olive**

 : 4-5

Préparation : 5 min
Cuisson : 15 min

- Préchauffez le four à 200°C.
- Découpez les **filets de cabillaud** en morceaux et disposez-les dans un plat à four avec la **tomate** coupée en cubes et la moitié de l'**estragon** effeuillé. Mélangez la **moutarde** avec la **crème** et 1 cuil. à soupe d'**huile d'olive**, recouvrez le **poisson**. Salez, poivrez et enfournez 15 min.
- Ajoutez le reste de l'**estragon** et dégustez.

CHIRASHI SAUMON-SÉSAME

Pavés de saumon
x 3 (450 g)

Riz
4 verres

Graines de sésame
4 cuil. à café

Citrons
x 2

Sauce soja sucrée
4 cuil. à soupe

Préparation : 5 min
Cuisson : 20 min
Marinade : 5 min

• Mettez le **riz** avec 8 verres d'eau dans un grand saladier. Couvrez de film étirable et enfournez 20 min au micro-ondes puissance 800 W.

• Coupez le **saumon** en petits morceaux et mélangez-les avec le jus des **citrons**, la **sauce soja sucrée** et les **graines de sésame**.

• Laissez mariner 5 min et dégustez avec le **riz** tiède.

POISSON COCO-BASILIC DE DAVID

Filets de rascasse
x 4 (ou 8 petits)

Basilic
1 botte

Tomates
x 4

Lait de coco
40 cl

 **Sel, poivre**

 1 filet d'huile d'olive

🔲🔲🔲🔲🔲

🕐

Préparation : 5 min
Cuisson : 20 min

- Préchauffez le four à 200°C.
- Mélangez le **lait de coco** avec le **basilic** effeuillé et les **tomates** coupées en morceaux. Versez sur les **filets de rascasse** disposés dans un plat à gratin.
- Salez, poivrez et enfournez 20 min.
- Dégustez avec 1 filet d'**huile d'olive**.

LA SPÉCIALITÉ DE CHEF SUSHI

Riz à sushi
300 g (ou riz rond à risotto)

Thon rouge
400 g

Assaisonnement
Sauce soja, gingembre confit
et wasabi

Sucre en poudre
1 cuil. à soupe

Vinaigre de riz
6 cuil. à soupe
(ou vinaigre de pomme)

 Sel

Préparation : 15 min
Cuisson : 10 min
Repos : 15 min

• Lavez bien le **riz**. Mettez-le dans une casserole avec 30 cl d'eau et faites-le cuire 10 min à feu doux et à couvert. Laissez reposer 15 min à couvert.

• Dissolvez le **sucre** dans le **vinaigre**, versez sur le **riz**, salez et mélangez jusqu'à complet refroidissement. Formez des petits boudins de **riz**, déposez des tranches de **thon** cru et dégustez avec l'**assaisonnement** japonais.

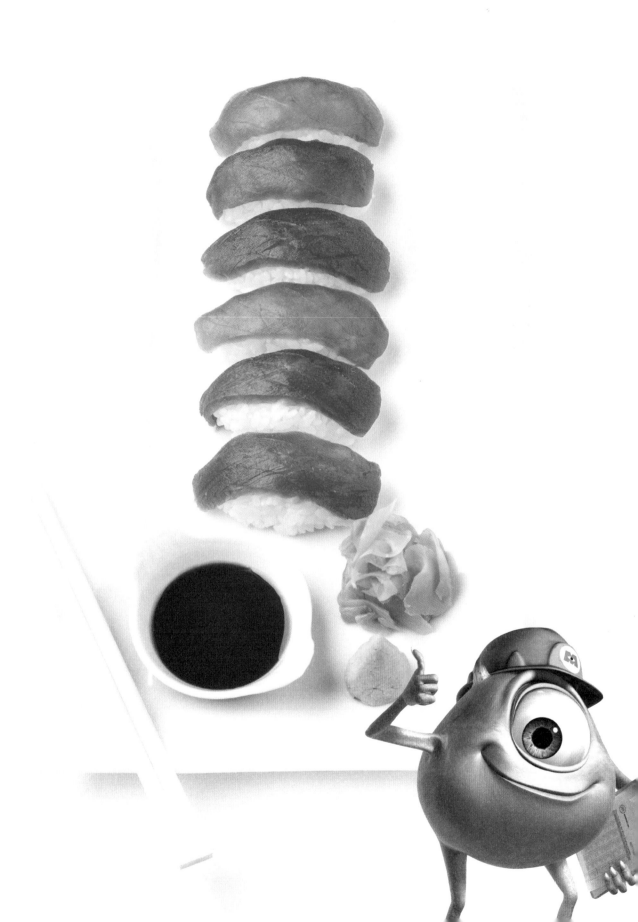

SUPER JUS POUR AVOIR LA PÊCHE

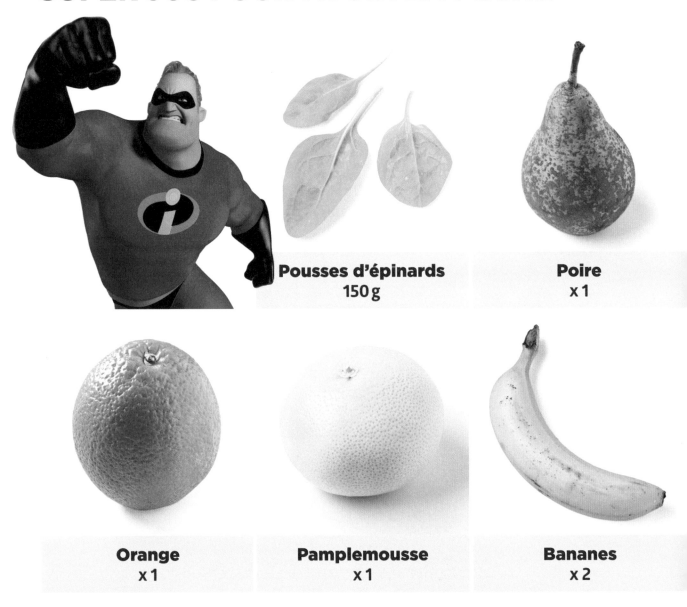

Pousses d'épinards
150 g

Poire
x 1

Orange
x 1

Pamplemousse
x 1

Bananes
x 2

Préparation : 5 min

• Découpez 1 tranche d'**orange** pour faire la décoration.

• Mixez dans un blender les **pousses d'épinards**, les **bananes** et la **poire** en morceaux avec les jus de l'**orange** et du **pamplemousse**.

• Dressez dans des verres. Décorez avec des morceaux d'**orange** et dégustez immédiatement.

SCONES DU TEA-TIME

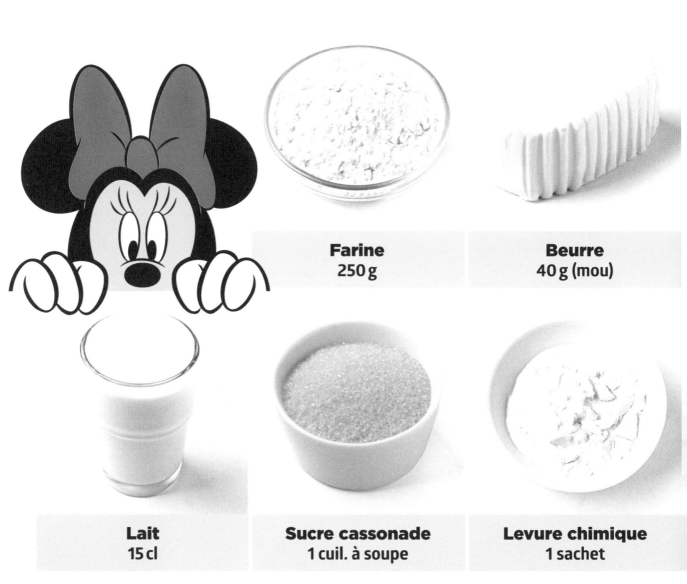

Farine
250 g

Beurre
40 g (mou)

Lait
15 cl

Sucre cassonade
1 cuil. à soupe

Levure chimique
1 sachet

(12 petits scones)

🕐

Préparation : 15 min
Cuisson : 12 min

• Préchauffez le four à 220°C.

• Mélangez la **farine**, la **levure** et la **cassonade** dans un saladier, pétrissez d'une main en ajoutant petit à petit le **beurre** mou et le **lait**.

• Faites des boules de pâte et disposez-les sur une plaque recouverte de papier cuisson.

• Enfournez 12 min et dégustez.

LES BARRES DE CÉRÉALES DE FLÈCHE

Muesli croustillant
100 g (non sucré)

Abricots secs
x 5

Mélange de fruits secs
100 g

Beurre
30 g

Miel liquide
75 g

Préparation : 15 min
Cuisson : 20 min

• Préchauffez le four à 175°C.

• Faites fondre dans une casserole le **beurre** et le **miel** et versez-les sur le **muesli**, les **abricots** coupés en petits morceaux et les **fruits secs** concassés.

• Mettez la préparation dans des moules à financiers et enfournez 20 min.

• Laissez refroidir, démoulez et dégustez.

LES PALMIERS DE CLARABELLE

Pâte feuilletée
x 1

Sucre cassonade
2 cuil. à soupe

 : 4 à 5 personnes

Préparation : 5 min
Congélateur : 30 min
Cuisson : 25 min

• Préchauffez le four à 180°C.

• Déroulez la **pâte feuilletée** avec le papier cuisson. Saupoudrez-la du **sucre cassonade**.

• Roulez chaque bord de la pâte vers le centre en serrant bien pour former des palmiers.

• Laissez durcir 30 min au congélateur. Découpez des tranches fines, déposez sur une plaque couverte avec le papier cuisson. Enfournez 25 min.

LES BOULES DE NEIGE D'OLAF

Noix de coco râpée
125 g

Lait concentré sucré
200 g

Noisettes
x 20

Préparation : 15 min
Réfrigération : 3 h

• Mélangez 100 g de **noix de coco râpée** avec le **lait concentré sucré**. Placez au réfrigérateur 3 h.

• Formez 20 boules avec la préparation en plaçant 1 **noisette** au centre et enrobez-les de **noix de coco râpée**.

LES CROQUANTS DE TIC ET TAC

Noisettes
200 g

Farine
300 g

Levure
½ sachet

Œufs
x 3

Sucre cassonade
100 g

 Sel

 : 6 à 8

🕑

Préparation : 10 min
Cuisson : 20 min

• Préchauffez le four à 180°C.

• Mélangez la **cassonade**, les **œufs**, la **farine**, la **levure**, les **noisettes** et une pincée de sel.

• Façonnez la pâte en petits rouleaux de 3 cm de large environ et enfournez-les 20 min sur une plaque couverte de papier cuisson.

• Découpez des tranches de 1,5 cm en sortant du four et laissez refroidir.

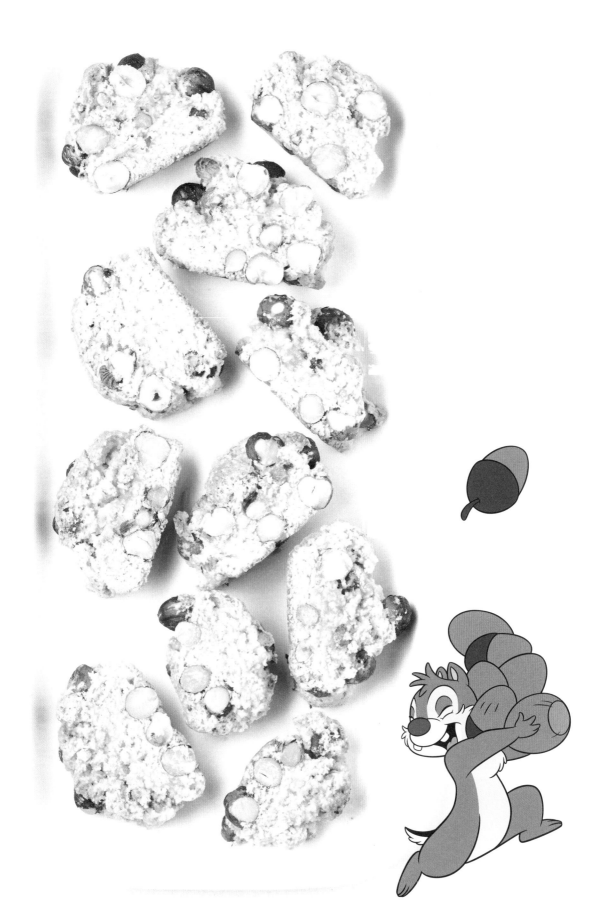

LES VERRINES AU POP CORN DE RILEY

Pommes
x 4

Yaourts à la grecque
x 2

Cannelle
1 cuil. à soupe

Maïs pour pop corn
2 cuil. à soupe

Raisins secs
3 cuil. à soupe (gros)

Préparation : 5 min
Cuisson : 11 min

• Placez le **maïs** dans un saladier. Couvrez d'un film alimentaire percé et faites souffler les **pop corn** 3 min au micro-ondes. Mélangez les **pommes** coupées en cubes dans un bol avec les **raisins secs** et la **cannelle**. Couvrez d'un film alimentaire et faites cuire 8 min au micro-ondes. Répartissez les **pommes**, les **raisins**, les **yaourts** et les **pop corn** dans des verres et dégustez.

LES MADELEINES DE WINNIE

Beurre
100 g

Farine
120 g

Miel
70 g

Œufs
x 2

Levure chimique
½ paquet

 : 4 à 5

Préparation : 10 min
Cuisson : 15 min

• Préchauffez le four à 180°C.

• Faites fondre le **beurre** au micro-ondes. Beurrez les moules à madeleines et réservez le reste.

• Fouettez les **œufs** avec le **miel** 1 min au batteur électrique. Ajoutez la **farine** mélangée avec la **levure** et le **beurre** fondu.

• Répartissez la pâte dans les moules et enfournez 15 min.

LES GLACES DE NICK

Petits-suisses
x 4

Framboises
1 barquette (125 g)

Préparation : 5 min
Congélation : 2 h

• Égouttez les **petits-suisses** (en réservant les pots) et mélangez-les avec les **framboises** écrasées.

• Répartissez la préparation dans les pots vides. Plantez une pique en bois dans chaque et faites prendre 2 h au congélateur.

• Démoulez les glaces en cassant les pots avec la pointe d'un couteau et dégustez.

MOUSSE BANANE-MANGUE DE MOWGLI

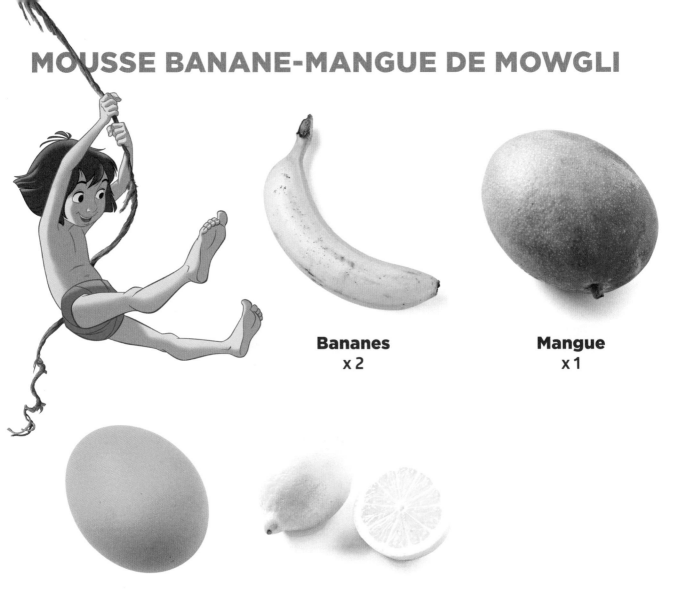

Bananes
x 2

Mangue
x 1

Blancs d'œufs
x 2

Citron
x 1

Préparation : 15 min
Réfrigération : 20 min

• Épluchez les **bananes** et réservez-en 4 tranches. Mixez le reste des **bananes** avec la **mangue** épluchée et coupée en morceaux, le jus et le zeste du **citron**.

• Montez les **blancs d'œufs** et incorporez-les à la purée de fruits. Répartissez la mousse dans des tasses et ajoutez les tranches de **banane**.

• Mettez 20 min au frais et dégustez.

LES POMMES AU FOUR DES 7 NAINS

Pommes rouges
x 8 (petites)

Mûres
2 barquettes (250 g)

Miel liquide
2 cuil. à soupe

Préparation : 5 min
Cuisson : 35 min

• Préchauffez le four à 200°C.

• Découpez les chapeaux des **pommes** et retirez le cœur. Enfournez-les 25 min.

• Garnissez les pommes cuites avec les **mûres**, ajoutez le **miel**, remettez les chapeaux et enfournez 10 min de plus.

• Dégustez chaud ou froid.

LES BROCHETTES DE BALOO

Mini-bananes
x 4

Kiwis
x 2

Noix de coco râpée
2 cuil. à soupe

Lait de coco
20 cl

Fruits de la Passion
x 2

Préparation : 10 min

• Épluchez puis découpez les **bananes** et les **kiwis** en morceaux.

• Montez 4 brochettes avec les morceaux de **fruits**, saupoudrez-les de **noix de coco râpée**.

• Dégustez avec le **lait de coco** mélangé avec la pulpe des **fruits de la Passion**.

LA SALADE D'ORANGES DE JASMINE

Oranges
x 5

Pistaches mondées
2 cuil. à soupe

Menthe
1 botte

Fleur d'oranger
4 cuil. à soupe

Miel
1 cuil. à soupe

Préparation : 15 min

• Épluchez 4 **oranges** à vif avec un couteau bien aiguisé. Découpez les **oranges** en tranches et disposez-les dans un plat.

• Ajoutez les **pistaches** concassées, les feuilles de **menthe**, le jus de la dernière **orange**, l'eau de **fleur d'oranger** et le **miel**.

• Dégustez bien frais.

LES BANANES DE RAFIKI

Bananes
x 2

Sirop d'érable
4 cuil. à soupe

Citrons verts
x 2

⏱

Préparation : 5 min
Cuisson : 10 min

• Préchauffez le four en position grill.

• Fendez les **bananes** en 2 avec la peau, dressez-les dans un plat à gratin.

• Mélangez le jus et les zestes des **citrons verts** avec le **sirop d'érable** et versez le mélange sur les **bananes**.

• Enfournez 10 min et dégustez chaud ou froid.

SALADE DE FRUITS EXOTIQUES DE VAÏANA

Ananas
x 1

Fruits de la Passion
x 2

Mangue
x 1

Carambole
x 1

Lait de coco
5 cl

⏱
Préparation : 10 min

• Coupez l'**ananas** en 2, récupérez la chair et taillez-la en petits morceaux. Épluchez et découpez la **mangue** en cubes. Récupérez la pulpe des **fruits de la Passion** et mélangez-la avec le **lait de coco**.

• Mélangez tous les ingrédients dans les coques d'**ananas**, ajoutez la **carambole** en tranches et dégustez bien frais.

LE PUDDING DE HARRIS, HUBERT ET HAMISH

Fruits rouges
400 g

Poudre d'amandes
125 g

Beurre
200 g (mou)

Sucre cassonade
125 g

Farine
125 g

 Sucre glace

 : 8

⏱ Préparation : 10 min
Cuisson : 30 min

- Préchauffez le four à 200°C.
- Mélangez la **farine**, le **beurre**, la **cassonade** et la **poudre d'amandes** pour obtenir une pâte homogène. Ajoutez les **fruits rouges** et mélangez.
- Placez l'ensemble dans un moule à tarte rectangulaire recouvert de papier cuisson. Tassez et enfournez 30 min.
- Laissez refroidir et poudrez de **sucre glace**.

LA TARTE DE BLANCHE-NEIGE

Pâte feuilletée
x 1

Prunes
x 8

Amandes effilées
125 g

Préparation : 10 min
Cuisson : 30 min

• Préchauffez le four à 200°C.

• Dénoyautez les **prunes** et coupez-les en morceaux.

• Déroulez la **pâte** dans un moule à tarte avec le papier cuisson. Répartissez les **prunes** et les ¾ des **amandes**. Repliez les bords. Parsemez du reste des **amandes**.

• Enfournez 30 min et dégustez.

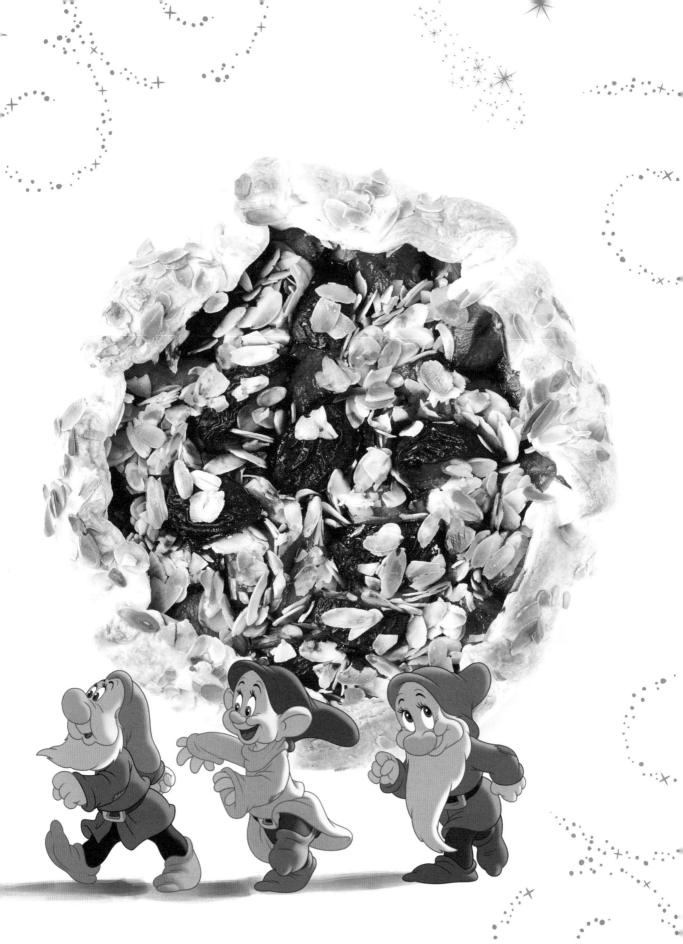

LE PIE DU CHAPELIER FOU

Pâte sablée
x 1

Rhubarbe
400 g

Fraises
250 g

Sucre cassonade
2 cuil. à soupe

Préparation : 5 min
Cuisson : 25 min

• Préchauffez le four à 180°C.

• Faites cuire 10 min à feu doux dans une casserole la **rhubarbe** épluchée et les **fraises** coupées en morceaux avec la **cassonade**.

• Répartissez les fruits dans des plats individuels, répartissez la **pâte sablée** coupée en bandes sur le dessus et enfournez 15 min.

• Dégustez tiède ou froid.

LE CRUMBLE D'AURORE

Farine
100 g

Beurre
100 g (mou)

Sucre cassonade
100 g

Fruits rouges
450 g (frais ou surgelés)

Préparation : 5 min
Cuisson : 30 min

- Préchauffez le four à 180°C.
- Mélangez du bout des doigts le **beurre**, la **farine** et la **cassonade** jusqu'à obtenir une pâte à crumble.
- Disposez ¾ des **fruits rouges** dans le fond d'un plat à four. Ajoutez la pâte à crumble puis le reste des **fruits rouges**. Enfournez 30 min et dégustez.

LE PUDDING AU PAIN DE LA MÈRE LAPIN

Pain sec
250 g

Œufs
x 4

Miel
6 cuil. à soupe

Lait
½ l

Raisins secs
70 g

10 g de beurre (pour le moule)

: 6

Préparation : 5 min
Attente : 15 min
Cuisson : 30 min

- Préchauffez le four 180°C.
- Fouettez les **œufs** puis ajoutez le **lait** et 5 cuil. à soupe de **miel**. Ajoutez le **pain rassis** en petits morceaux et les **raisins secs**. Laissez ramollir 15 min.
- Versez dans un moule à cake beurré et enfournez 30 min. Démoulez et dégustez en tranches épaisses avec le reste de **miel**.

CROUSTI-MOUSSE DE RUSSELL

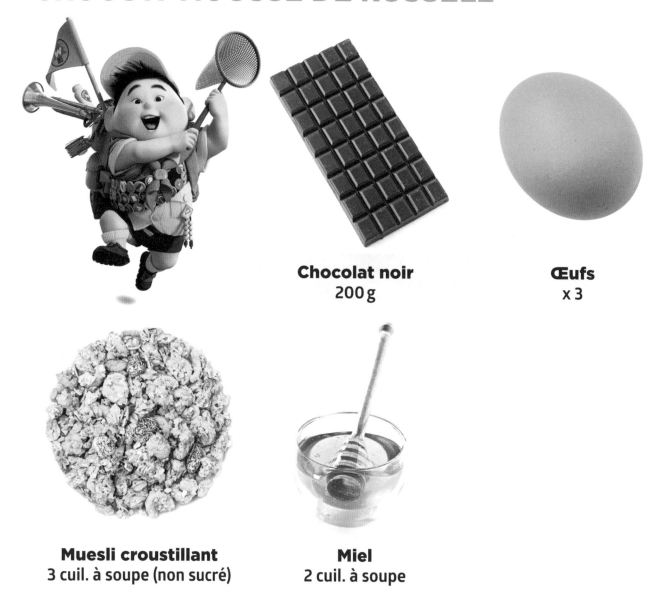

Chocolat noir
200 g

Œufs
x 3

Muesli croustillant
3 cuil. à soupe (non sucré)

Miel
2 cuil. à soupe

 : 6

⏲

Préparation : 15 min
Réfrigération : 2 h
Cuisson : 10 min

• Faites fondre le **chocolat** et mélangez-le avec les **jaunes d'œufs**. Fouettez les **blancs** en neige et incorporez-les au **chocolat**. Répartissez dans des ramequins et laissez prendre 2 h au frais.

• Préchauffez le four à 180°C. Enfournez 10 min le **muesli** mélangé avec le **miel** sur une plaque recouverte de papier cuisson. Laissez refroidir, concassez-le et répartissez-le sur les mousses.

LA CRÈME VANILLE D'EDGAR

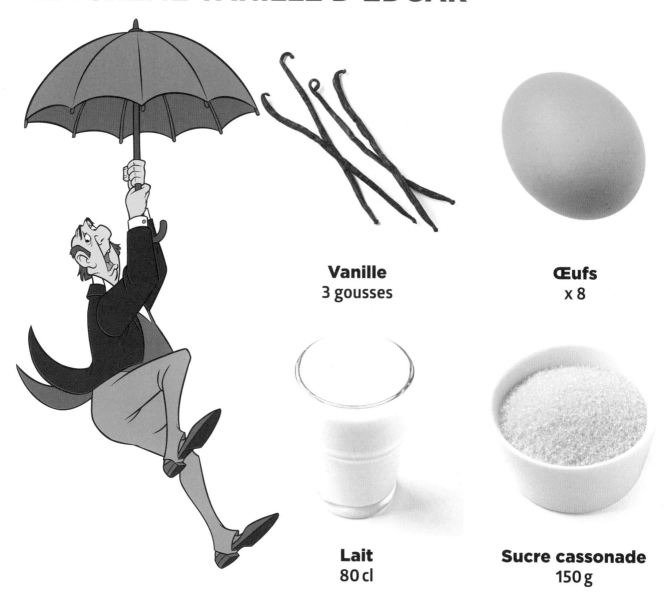

Vanille
3 gousses

Œufs
x 8

Lait
80 cl

Sucre cassonade
150 g

 : 6

🕐

Préparation : 5 min
Cuisson : 40 min
Réfrigération : 3 h

- Préchauffez le four à 160°C.
- Grattez l'intérieur des gousses de **vanille**. Fouettez les **œufs** avec la **cassonade**, ajoutez le **lait**, les graines de **vanille** et les gousses coupées en morceaux. Mélangez, versez dans un plat et enfournez 40 min au bain-marie.
- Placez 3 h au frais et dégustez.

TABLE DES MATIÈRES

TABLE DES MATIÈRES

INDEX DES RECETTES PAR INGRÉDIENT

SIMPLISSIME

LA COLLECTION DE LIVRES DE CUISINE QUI VA CHANGER VOTRE VIE

19,95€

J.-F. Mallet

SIMPLISSIME
LE LIVRE
DE CUISINE
LE + FACILE
DU MONDE

hachette
CUISINE

J.-F. Mallet

SIMPLISSIME
LE LIVRE
DE CUISINE
LIGHT
LE + FACILE DU MONDE

hachette
CUISINE

J.-F. Mallet

SIMPLISSIME
100% nouvelles recettes
LE LIVRE
DE CUISINE
LE + FACILE
DU MONDE

hachette
CUISINE

14,95€

J.-F. Mallet

SIMPLISSIME
LE LIVRE
DE DESSERTS
LE + FACILE
DU MONDE

hachette
CUISINE

J.-F. Mallet

SIMPLISSIME
LES
PIZZAS
LES + FACILES
DU MONDE

hachette
CUISINE

J.-F. Mallet

SIMPLISSIME
LES
PÂTES
LES + FACILES
DU MONDE

hachette
CUISINE

J.-F. Mallet

SIMPLISSIME

10, 15, 20 À TABLE, LES RECETTES LES + FACILES DU MONDE

hachette CUISINE

12,90€

J.-F. Mallet

SIMPLISSIME

 RECETTES À 2€ PAR PERSONNE

LE LIVRE DE CUISINE POUR ÉTUDIANTS LE + FACILE DU MONDE

hachette CUISINE

13,95€

ET AUSSI L'APPLI...

J.-F. Mallet

SIMPLISSIME

RECETTES VÉGÉTARIENNES LES + FACILES DU MONDE

hachette CUISINE

J.-F. Mallet

SIMPLISSIME

APÉROS LES + FACILES DU MONDE

hachette CUISINE

J.-F. Mallet

SIMPLISSIME

SALADES COMPLÈTES LES + FACILES DU MONDE

hachette CUISINE

SALADE DE BŒUF RÔTI AU BASILIC

4 personnes
Préparation : 15 minutes
Cuisson : 5 minutes
Poivre

J.-F. Mallet

SIMPLISSIME

LES COCOTTES LES + FACILES DU MONDE

hachette CUISINE

J.-F. Mallet

SIMPLISSIME

RECETTES DE GIBIER LES + FACILES DU MONDE

hachette CUISINE

J.-F. Mallet

SIMPLISSIME

LES PLATS À 1 EURO LES + FACILES DU MONDE

hachette CUISINE

AVEC VOUS PARTOUT, VOS RECETTES ET LISTES D'INGRÉDIENTS !

Pour Androïd et IOS

J.-F. Mallet

SIMPLISSIME

SOUPES ET BOUILLONS REPAS LES + FACILES DU MONDE

hachette CUISINE

J.-F. Mallet

SIMPLISSIME

RECETTES AU CUIT-VAPEUR LES + FACILES DU MONDE

hachette CUISINE

J.-F. Mallet

SIMPLISSIME

TERRINES ET FOIES GRAS LES + FACILES DU MONDE

hachette CUISINE

6,95€

Les 101 Dalmatiens, d'après l'œuvre de Dodie Smith, publiée par The Viking Press.
Le film *La Princesse et la Grenouille* Copyright © 2009 Disney, histoire partiellement
inspirée du livre *The Frog Princess* de E. D. Baker Copyright © 2003,
publié par Bloomsbury Publishing, Inc.
Winnie l'Ourson, d'après l'œuvre originale « Winnie The Pooh » de A. A. Milne et E. H. Shepard.
The Aristocats est basé sur le livre de Thomas Rowe.

© 2018, Hachette Livre (Hachette Pratique).
58, rue Jean Bleuzen – 92178 Vanves Cedex

Pour l'éditeur, le principe est d'utiliser des papiers composés de fibres naturelles,
renouvelables, recyclables et fabriqués à partir de bois issus de forêts qui adoptent
un système d'aménagement durable. En outre, l'éditeur attend de ses fournisseurs de papier
qu'ils s'inscrivent dans une démarche de certification environnementale reconnue.

Direction : Catherine Saunier-Talec
Reponsable éditoriale : Céline Le Lamer
Responsable de projet : Anne Vallet
Conception graphique : Marie-Paule Jaulme
Mise en page : Marie-Paule Jaulme et SKGD-création
Fabrication : Amélie Latsch
Responsable partenariats : Sophie Morier (smorier@hachette-livre.fr)

Dépôt légal : avril 2018
7114075/01
ISBN : 978-2-01-626182-8
Imprimé en Espagne chez Estella

2,20 kg q. CO$_2$
Rendez-vous sur
www.hachette-durable.fr

PAPIER À BASE DE
FIBRES CERTIFIÉES